KV-395-099

alaantkowe BLW

Joanna Anger • Anna Piszczek

Warszawa

Joanna Anger, Anna Piszczek
AlaAntkowe BLW

Redakcja:
Kamila Wrzesińska

Korekta:
Kamila Wrzesińska
Anna Dudało

Zdjęcia w książce i na okładce:
Hubert Marciniak

Projekt graficzny:
Ewelina Malinowska

Druk:
Zapolex sp. z o.o.

ISBN: 978-83-65087-12-6

Grupa Wydawnicza Relacja sp. z o.o.
ul. Słowicza 27a
02-170 Warszawa

Za udostępnienie wnętrz apartamentu Elefantimmo w Poznaniu

dziękujemy kawiarni Heca.
www.heca-heca.pl

SPIS TREŚCI

WITAJCIE

Trzymasz w rękach naszą pierwszą książkę kucharską. Zanim zagłębisz się w czytanie przepisów i gotowanie, poznaj nas – Anię i Asię, autorki bloga kulinarnego *AlaAntkowe BLW.*

Ponad dwa lata temu nasze życie wywróciło się do góry nogami. Obie zostałyśmy po raz pierwszy matkami. Macierzyństwo zaowocowało nie tylko przypływem miłości, której nigdy wcześniej nie zaznałyśmy, ale było także źródłem inspiracji w wielu obszarach naszego życia. Jednym z nich był temat odżywiania całej rodziny. Razem z naszymi dziećmi uczyłyśmy się delektować jedzeniem, poznawać nowe, zdrowe smaki. Do tej pory rzadko myślałyśmy o tym, że należy się przede wszystkim odżywiać, a nie tylko jeść. Pojawienie się dziecka to dobry moment na zmianę przyzwyczajeń żywieniowych.

Zanim pierwszy raz podałyśmy dzieciom stałe jedzenie, chciałyśmy się do tego dobrze przygotować. Wertowałyśmy książki, gazety, fora internetowe i pytałyśmy doświadczonych rodziców o rady. Pojawił się nawał pytań, niektóre z nich teraz wydają nam się banalne, ale dzięki nim i poszukiwaniom odpowiedzi miałyśmy szansę się poznać. Mimo dzielących nas kilometrów zaczęłyśmy się wzajemnie motywować, inspirować i wspierać w ulepszaniu swoich własnych żywieniowych nawyków. Pomyślałyśmy, że możemy przekazywać to dalej. I tak powstał blog *AlaAntkowe BLW,* którego nazwa pochodzi od imion naszych dzieci – Ali i Antka.

Bardzo szybko okazało się, że wielu rodziców potrzebuje takiego wsparcia, zarówno w kwestii samej wiedzy na temat BLW, jak i prostych przepisów na dania, które mogliby przyrządzić dla całej rodziny, bez oddzielnych garnków dla dzieci i dorosłych. Blog się rozrastał, odsłon przybywało, my się rozwijałyśmy. Dzięki swojej pasji i wsparciu naszych czytelników decyzją jurora Karola Okrasy znalazłyśmy się w finale prestiżowego konkursu Onet.pl Blog Roku, a głosy czytelników uplasowały nas na II miejscu w kategorii blogów kulinarnych. To wielkie wyróżnienie!

Nasza działalność to nie tylko tworzenie nowych przepisów, wyjaśnianie zawiłości karmienia niemowląt i dzieci, ale również prowadzenie warsztatów dla rodziców. Podczas nich rozmawiamy o tym, czym jest BLW, jak nauczyć dziecko czerpać radość z jedzenia oraz jak gotować, żeby nie było to przykrą koniecznością, tylko świetną zabawą.

Zgromadziłyśmy wiele rozmaitych doświadczeń, dowiedziałyśmy się, czego oczekują rodzice, jakie mają kłopoty podczas rozszerzania diety oraz co może im ułatwić codzienne gotowanie i zdrowe odżywianie całej rodziny. W końcu znamy to wszystko od podszewki (czy może raczej – od kuchni), same też jesteśmy mamami, które mają za sobą wzloty i upadki, podczas gdy nasze dzieci odkrywały fascynującą sztukę jedzenia.

Obie pozwoliłyśmy naszym dzieciom, by samodzielnie decydowały o tym, co i jak chcą jeść. Wybrałyśmy metodę BLW, bo wydawała nam się najlepsza i jedyna. To był wybór idealny.

Początki oczywiście nie były łatwe i „czyste". Pierwsze próby samodzielnego jedzenia kończyły się krztuszeniem, co przyprawiało nas o dreszcze. Bywało, że emocje sięgały zenitu, ale gdy widziałyśmy radość z jedzenia naszych dzieci – zapominałyśmy o chwilowych trudnościach. Bałagan, który towarzyszył „zabawie" maluchów, wydawał się być nieskończony i nie do ogarnięcia. Intuicja podpowiadała nam jednak, że nie możemy się poddać, a wszystkie kłopoty w końcu miną. Kolejne tygodnie prób samodzielnego jedzenia obfitowały w radość i dzieci, i naszą. Warzywa precyzyjnie trafiały do małej buźki i zostawały tam na dłużej, a próby chwycenia małego groszku kończyły się sukcesem poprzedzonym długim treningiem. Z przyjemnością i dumą patrzyłyśmy, jak Ala i Antek świadomie, samodzielnie i bez namawiania zaczynają gryźć, przeżuwać i połykać.

W miarę jak nasze dzieci rosły, stawały się coraz bardziej świadomymi smakoszami. Zaczęły mieć swoje ulubione smaki i konsystencje. Nie ukrywamy, że czasem bardzo trudno im było dogodzić, ale starałyśmy się gotować tak, by i dzieciom, i nam danie smakowało. Podczas przygody z BLW przechodziłyśmy i nadal przechodzimy przez różne dziecięce „kaprysy". Zdarzało się, że odmawiały jedzenia czegokolwiek poza mlekiem, czasem nagle traciły zainteresowanie daniami i produktami, które wcześniej bardzo lubiły. BLW nauczyło nas pokory i zaufania do dzieci. Pamiętania o tym, że dziecko to też człowiek, tylko malutki, a jego poczucie głodu i nasycenia jest JEGO i nie nam o nim decydować.

Nie zapomnimy, ile radości sprawiło nam, gdy pierwszy raz samodzielnie trafili widelcem w makaron czy napełnili łyżkę zupą. Niezdarne, chaotyczne ruchy w końcu nabierały precyzji. Nim to się jednak stało… Ile to razy zmieniałyśmy bluzeczki… Ba! Wymieniałyśmy całą garderobę, gdy nasze maluchy uczyły się pić z kubka czy jadły barszcz czerwony. Z czasem doszłyśmy do takiej wprawy w myciu dzieci i kuchni po jedzeniu, że mogłybyśmy bić rekordy Guinnessa w tej kategorii (gdyby ją stworzono). Jesteśmy pewne, że nie tylko my chętnie wystartowałybyśmy w tej konkurencji.

Minęło kilka miesięcy prania, umorusanych buziek, wspólnych posiłków i radości. Nasze dzieci skończyły rok. Dla nas oznaczało to przede wszystkim codzienne maratony za maluchami stawiającymi pierwsze i drugie kroki. Nasza aktywność chwilami ograniczała się do umieszczania oczu w każdym zakątku mieszkania, by dziecku nic się nie stało. Gotowanie nabrało kolejnego sensu, bo czasem udawało się przyrządzić coś z dzieckiem, widzieć, jak przesypuje mąkę czy łyżką nakłada kaszę do miseczki. Okazało się, że mając tak niewiele czasu, też można gotować smacznie i różnorodnie, o czym postaramy się też Ciebie przekonać.

Nasze dzieci to teraz pogodne, dwuletnie maluchy. Mają już swoje ulubione smaki, co nie znaczy, że za chwilę one się nie zmienią. Uwielbiają poznawać nowości i kręcić nosem, gdy coś im nie smakuje. Są w pełni samodzielne podczas jedzenia, a my już nie przyjaźnimy się tak z pralką czy odplamiaczami. BLW podarowało nam szczęśliwe podczas jedzenia dzieci, a my, dorośli, zmieniliśmy swoje nawyki żywieniowe. Bo skoro jedliśmy to samo, musieliśmy jeść zdrowo! Ograniczyłyśmy cukier i sól, spożywamy dużo warzyw, owoców, zbóż i nadal uwielbiamy jeść. Bo zdrowe znaczy smaczne!

Gdyby nie nasze dzieci, nie poznałybyśmy się, nie powstałby blog, nie byłoby naszej przyjaźni i nie byłoby tej książki. Tak, dzieci zmieniają życie!

Pierwsza część naszej książki to zbiór informacji, baza produktów, sprzętów, pomysłów, które sprawdziłyśmy osobiście. Wyjaśnimy Ci, czym jest metoda BLW, którą praktykujemy w naszych domach. Oczywiście możesz wybrać tradycyjny sposób karmienia swojego dziecka – najważniejsze jest to, żeby jadło zdrowo.

W tej części pokażemy Ci również, na co zwrócić szczególną uwagę przy kompletowaniu kuchennego wyposażenia. Nie zabraknie też subiektywnych rad dotyczących produktów spożywczych i sprzętu AGD, które warto zgromadzić w kuchennych szafkach. Większość z wymienionych przez nas produktów to rzeczy dobrze znane, ale jest też kilka nowości, z którymi warto się zaprzyjaźnić. Pomożemy też alergikom w znalezieniu zamienników dla jajek i pokażemy, czym doprawiać i dosładzać, aby było smacznie i zdrowo.

Druga część książki to istne szaleństwo kulinarne (mamy nadzieję, że zagości ono i w Twojej kuchni). Zaczynamy od dań na dobry początek – czyli od takich, które zawierają niewiele składników i możesz je podać już półrocznemu dziecku. Potem proponujemy śniadania – słodkie, wytrawne, jajeczne, mączne – żeby nigdy nie zabrakło Ci pomysłów na smaczne poranki. Pokażemy, co przygotować na spacer i piknik. Zebrałyśmy też obfity zbiór przepisów obiadowych, które pokocha cała rodzina, od naleśników, placków, klopsów, po wszelkiego rodzaju zupy i pierogi. Nasze podwieczorki to słodkie przyjemności bez dodatku cukru. Pomożemy Ci też przygotować dania na specjalne okazje, np. Wielkanoc, Wigilię czy przyjęcie urodzinowe. Drugą część książki zamykają przepisy bazowe, na których podstawie można stworzyć inne dania.

Oddajemy Ci w ręce książkę, która – mamy nadzieję – stanie się dla Ciebie źródłem inspiracji i pomysłów na rozmaite dania dla całej Twojej rodziny. Życzymy Ci wspaniałych, wspólnych posiłków. Jedzcie zawsze razem i zawsze to samo, co dziecko. Spotykajcie się przy wspólnym stole, cieszcie jedzeniem i swoją obecnością. Bezcenny czas!

Życzymy smacznego!

ANIA I ASIA

Książkę tę
dedykujemy
naszym
dzieciom

Wyjaśnienie tagów:

bez glutenu – tak oznaczone danie nadaje się dla osób, które muszą lub chcą unikać glutenu. W przepisach, w których używa się niewielkiej ilości mąki glutenowej, możesz ją zastąpić bezglutenową, np. kukurydzianą lub gryczaną.

bez jajka – tak zostały oznaczone potrawy bez jajek. W pozostałych przepisach możesz spróbować je zastąpić jedną z alternatyw (s. 14).

bez nabiału – ta ikonka oznacza, że potrawa nie zawiera produktów z mleka krowiego: serów, jogurtów, masła, maślanki, kefiru. „Mleko" nie zostało oznaczone jako nabiał, ponieważ w każdym z naszych przepisów możesz zamiennie użyć mleka roślinnego.

wegetariańskie – bez mięsa i żadnych jego przetworów.

WSTĘP

Czas, w którym do mlecznej diety dziecka dołączają pokarmy stałe, bywa stresujący dla wielu rodziców. Co podać dziecku, kiedy i jak? Ogrom pytań i wątpliwości, jakie się pojawiają, może przysporzyć bólu głowy.

Tradycyjnym sposobem karmienia starszych niemowląt jest podawanie jedzenia łyżeczką. Zachęcamy jednak do wypróbowania metody starej jak świat, czyli samodzielnego jedzenia przez dzieci.

Ta metoda doczekała się swojej nazwy: BLW, od *Baby led-weaning*, a opisały ją Gill Rapley i Tracey Murkett. W polskim wydaniu ich książka nosi tytuł „Bobas Lubi Wybór" i ukazała się nakładem wydawnictwa Mamania.

CZYM JEST BLW?

Głównym założeniem metody Bobas Lubi Wybór jest to, że dziecko, które samodzielnie spożywa posiłki, z czasem ograniczy zapotrzebowanie na mleko i tym samym stopniowo z niego zrezygnuje. Jest to bardzo długi proces, którym steruje dziecko, a nie rodzice.

BLW to nie tylko kształtowanie świadomości dziecka i jego stopniowe rezygnowanie z mlecznych karmień. To przede wszystkim wspólne posiłki przy wspólnym stole, a co za tym idzie – wygoda w ich przygotowywaniu. Rodzicom świadomie decydującym się na BLW zależy na zdrowym odżywianiu dziecka, starają się więc zmienić nawyki żywieniowe całej swojej rodziny – ograniczają sól i cukier, rezygnują z dań wysoko przetworzonych na rzecz świeżych i zdrowych produktów. Ta metoda ma wiele zalet. Przede wszystkim dziecko, któremu pozwalamy samodzielnie jeść, ma możliwość eksperymentowania ze smakiem, zapachem, konsystencjami, fakturami. Może badać, jak twarde lub miękkie jest jedzenie, testuje smak i grawitację. Dziecko, które samo wkłada jedzenie do buzi, uczy się jeść w sposób bezpieczny i kontrolowany. Wspólne posiłki to także korzyści dla całej rodziny – rodzice nie muszą karmić dziecka, gdy ich obiad stygnie. Nie pojawia się też problem stresu związanego z niechęcią dziecka do podawania jedzenia łyżką i nie trzeba malucha do jedzenia namawiać. Jedyną niedogodnością może być bałagan, który towarzyszy początkom BLW. Możesz próbować sobie z nim poradzić – przeczytaj o tym na następnej stronie.

PO CZYM POZNAĆ, ŻE DZIECKO JEST GOTOWE NA ROZSZERZANIE DIETY?

Zanim zaoferujesz dziecku pierwszy stały posiłek, powinno ono spełniać kilka ważnych oznak gotowości:

• Wiek – Światowa Organizacja Zdrowia (WHO) zaleca wyłączne karmienie piersią przez pierwsze pół roku. Wcześniejsze próby podawania innych pokarmów nie są wskazane, chociażby ze względu na niedojrzały układ pokarmowy dziecka.

• Postawa ciała – dziecko powinno samodzielnie i stabilnie siedzieć (na kolanach dorosłego lub w wysokim krzesełku). Chwiejna postawa ciała i brak odpowiedniego napięcia mięśni mogą spowodować odchylanie się dziecka do tyłu, a tym samym ryzyko zakrztuszenia lub zadławienia.

• Zainteresowanie jedzeniem i prawidłowa koordynacja – malec, który samodzielnie chwyta w dłoń jedzenie, kieruje je celnie do buzi i nie wypycha go językiem, jest gotowy na przyjęcie nowych pokarmów. Samo wyciąganie rączek w kierunku jedzenia nie jest równoznaczne z gotowością.

Wszystkie powyższe elementy powinny wystąpić jednocześnie – jeśli twoje dziecko nie wykazuje wszystkich oznak, nie spiesz się z podawaniem nowych pokarmów. Poczekaj kilka dni, tygodni, aż osiągnie dojrzałość.

A co z zębami? Ich brak nie jest przeszkodą do rozpoczęcia samodzielnego jedzenia. Dziąsła i język niemowlęcia z łatwością poradzą sobie z rozgniataniem miękkich warzyw i owoców.

NIEZBĘDNIK TECHNICZNY

Zanim zaczniecie przygodę z samodzielnym jedzeniem i zanim twoje dziecko opanuje trudną sztukę poprawnego zachowania przy stole, z pewnością niejednokrotnie zrobi wokół siebie spory bałagan. Zaopatrz się więc w takie sprzęty i akcesoria, które będą wygodne dla dziecka, funkcjonalne oraz łatwe do utrzymania w czystości.

Krzesełko

Powinno być lekkie i zajmować mało miejsca. Wybierając krzesełko, kieruj się kilkoma wskazówkami:

• Zwróć uwagę na materiały, z których wykonano krzesełko – najlepszy będzie plastik lub drewno. Sprawdź, czy nie ma zbyt wielu zakamarków, które utrudnią czyszczenie.

• Tacka – powinna być duża, gładka, najlepiej biała, umieszczona na wysokości brzuszka dziecka. Ważne jest, by można ją było łatwo i szybko zdemontować. Doskonałym rozwiązaniem są krzesełka, które po odczepieniu tacki można dosunąć do stołu.

• Bezpieczne krzesełko to takie, które posiada odpowiednie atesty bezpieczeństwa. Pamiętaj, żeby dokładnie przypiąć dziecko pasami, i nigdy nie zostawiaj go samego podczas posiłku.

Ochrona podłogi

Dziecko sprawdzające działanie grawitacji może narobić wiele bałaganu. Unikniesz długiego sprzątania, gdy pod krzesełkiem rozłożysz ceratę, folię malarską lub stare gazety. Niezastąpiona może okazać się także pomoc czworonożnych domowników, którzy z chęcią skorzystają z tego, co porozrzucało dziecko.

Fartuszek i śliniaki

Zwykłe małe śliniaczki nie sprawdzają się przy samodzielnym jedzeniu. Najlepiej więc zaopatrzyć się w duże fartuszki, które ochronią przed zabrudzeniem nie tylko klatkę piersiową, ale też brzuszek i ramiona. Zwróć uwagę na to, by:

• Materiał był miękki, delikatny i przyjemny dla dziecka.

• Rękawy były długie i ze ściągaczami, a zapięcie z tyłu regulowane.

• Fartuszek był łatwy do prania. Idealnie sprawdzają się te wykonane z szybkoschnącego materiału (np. poliestru).

Niektóre fartuszki mają specjalną kieszonkę na dole, do której wpada jedzenie. Warto również zaopatrzyć się w wersję nieprzemakalną (przyda się do jedzenia zup).

Zastawa stołowa

W pierwszych tygodniach rozszerzania diety dziecko nie potrzebuje zbyt wielu akcesoriów. Najważniejsze jest zapewnienie dziecku swobody ruchów i nierozpraszanie go dodatkowymi bodźcami.

Kubek

Przy każdym posiłku proponuj dziecku wodę. Możesz mu ją podać w:

- kubku „niekapku",
- specjalnym pochylonym kubeczku,
- zwykłym plastikowym kubku,
- bidonie, np. z silikonową rurką.

Nie każde dziecko od razu wie, jak się posługiwać kubkiem. Nie zrażaj się, jeśli nie zechce pić. Pozwól na naukę, wylewanie i bawienie się. Z czasem, np. obserwując dorosłych, nauczy się poprawnego chwytania i picia. Nigdy nie zostawiaj dziecka samego podczas prób picia!

Zwykły kubek przyda się też do nauki samodzielnego jedzenia zupy. Warzywa połóż dziecku na tacy, a wywar wlej do kubka.

Sztućce

Po kilkunastu tygodniach jedzenia rączkami przyjdzie czas na pierwsze próby używania sztućców. Połóż obok jedzenia widelec lub łyżkę i pozwól dziecku na zabawę nimi. Wybierz takie sztućce, które będą bezpieczne dla malucha – przede wszystkim krótkie widelce z zaokrąglonymi końcami oraz małe łyżeczki (mogą być plastikowe lub metalowe). Pokaż dziecku, jak poprawnie nadziewać makaron na widelec i jaki ruch łyżką wykonywać, by nabrać kaszkę.

Talerze i miski

Zanim zdecydujesz się na podanie dania na talerzu lub w miseczce, obserwuj, czy dziecko jest już na to gotowe. Gdy zauważysz, że jedzenie na talerzu wzbudza większe zainteresowanie niż sam talerz, to dobry znak, by wprowadzić naczynia. Te kolorowe, z podziałką czy z przyssawką, mogą niepotrzebnie rozpraszać dziecko. Skorzystaj z domowych małych talerzyków lub zaopatrz się w plastikowe (najlepiej białe i gładkie), na wypadek, gdyby dziecko jednak chciało nimi rzucać.

PIERWSZE PRÓBY

Zanim pierwszy raz usiądziecie do wspólnego jedzenia, przeczytaj wskazówki, które pomogą ci dobrze przygotować się do tego ważnego dnia:

- Pozwól dziecku na zabawę i przygotuj się na bałagan.
- Upewnij się, że dziecko jest wyprostowane podczas próby jedzenia.
- Na początek zaproponuj dziecku delikatne, najprostsze produkty i dania (unikaj smażenia i długiego gotowania).
- Daj dziecku możliwość zabawy jedzeniem. Pozwól mu poznawać wszystkie właściwości warzyw, owoców, kasz, makaronów i ryżu (niech brokuł wygląda jak brokuł).
- Daj dziecku możliwość wyboru jedzenia z twojego talerza (zadbaj, żeby posiłek był zdrowy, pełnowartościowy i odpowiedni dla dziecka).
- Pozwól na to, by dziecko samo wkładało sobie jedzenie do buzi, nie pospieszaj go ani nie namawiaj do zjedzenia większej porcji. Pamiętaj, że dziecko ma prawo jeść mało lub odmówić jedzenia. Uszanuj jego decyzję.
- Na porę posiłku wybieraj czas, gdy dziecko jest wypoczęte i w dobrym nastroju.
- Zanim zaprosisz dziecko do stołu, zaproponuj mu najpierw mleko. Głodny malec może być zbyt rozdrażniony, by spokojnie jeść.

▸ Nigdy nie zostawiaj dziecka samego podczas posiłku.

▸ Naucz się odróżniać zakrztuszenie od zadławienia. Zapoznaj się z zasadami udzielania pomocy przy ewentualnym zadławieniu.

▸ Wszystkie posiłki jedzcie wspólnie, w miłej atmosferze.

▸ Wyeliminuj bodźce (telewizja, radio), które mogłyby rozpraszać dziecko.

JAK UŁATWIĆ DZIECKU PIERWSZE PRÓBY?

Dziecko, które rozpoczyna przygodę z samodzielnym jedzeniem, jest jeszcze na tyle małe, że jego ruchy mogą być chaotyczne i nieskoordynowane. Początkowo większość niemowląt nie jest w ogóle zainteresowana jedzeniem, a jedynie poznawaniem nowych, kolorowych „zabawek". Nieporadne ruchy malucha sprawiają mu wiele trudności podczas prób chwytania i trafiania do buzi. Istnieją sposoby na to, by ułatwić dziecku pierwsze próby samodzielnego jedzenia:

Owoce i warzywa

- Podaj dziecku owoc do połowy obrany ze skórki, tak by część ze skórą służyła jako stabilny uchwyt (np. jabłka pokrój w łódki i obierz do połowy).
- Duże warzywa (np. buraki) i owoce pokrój karbowanym nożem, nie będą się ślizgać.
- Obtocz obrane kawałki owoców (np. melona, banana) w amarantusie ekspandowanym, łatwiej będzie dziecku je trzymać.
- W dużych i twardych owocach (np. niektórych odmianach jabłek) w miejscu po ogonku i dolnym zagłębieniu możesz wydrążyć dziurki, w które dziecko włoży kciuk i np. palec wskazujący. To ułatwi trzymanie owocu.
- Małe owoce pestkowe przekrój na pół i usuń pestkę.
- Długie owoce lub warzywa (np. banany, ugotowaną marchewkę) pokrój nożem w cienkie słupki lub podawaj w całości.

Kasze, ryż, płatki

Możesz ułatwić dziecku jedzenie sypkich kasz czy ryżu, formując z nich kulki, kostki lub podając w miseczce w postaci gęstej papki, którą dziecko może jeść rękoma, np. oblizując paluszki.

Mięso

Dziecku, które dopiero uczy się żuć i połykać, najlepiej podać długi kawałek soczystego mięsa. Malec będzie mógł je ssać. Kolejna alternatywą jest zmielenie mięsa i podanie go w formie podłużnych pulpecików.

Makarony

Większość dzieci uwielbia makaron. Wybieraj duże i poręczne kształty, jak np. muszle, świderki, penne, tagliatelle. Na początku możesz podawać dziecku sam makaron, bez sosów i dodatków, żeby nie był zbyt śliski.

Pieczywo

Chleb, bułki, wafle ryżowe i inne pieczywo pokrój w wygodne słupki czy trójkąty. Możesz je również posmarować warzywną czy owocową pastą lub pokazać dziecku, jak moczyć je w sosie.

JAK UŁATWIĆ SOBIE GOTOWANIE? SUBIEKTYWY NIEZBĘDNIK KUCHENNY

Zanim zaczniemy wspólne gotowanie, zapraszamy na przegląd naszych kuchennych szafek. Powiemy, co warto zawsze mieć w zapasie i jakie kuchenne sprzęty przydają się najczęściej. Pokażemy też alternatywy dla soli, cukru i jajka, by nasza kuchnia była dostępna dla każdego.

Baza produktów spożywczych

Mąki (jasne oraz pełnoziarniste):

- glutenowe: pszenna, orkiszowa
- bezglutenowe: gryczana, kukurydziana, ziemniaczana, amarantusowa, jaglana

Amarantus: to unikalne zboże zawierające bardzo dużo żelaza oraz wiele innych składników odżywczych. W sklepach dostępne są ziarna, mąka oraz amarantus ekspandowany – popping.

Płatki zbożowe (wybieraj te bez cukru):

- glutenowe: owsiane, jęczmienne, orkiszowe
- bezglutenowe: gryczane, jaglane, ryżowe, kukurydziane

Owies nie zawiera glutenu, jednak bywa często zanieczyszczony glutenowymi zbożami.

Pozostałe produkty zbożowe:

- kaszki i kasze: kukurydziana, manna, orkiszowa, jaglana, kuskus, jęczmienna, gryczana
- makarony

Wybieraj **makarony** o różnych kształtach, wygodnych do uchwycenia przez dziecko, np. rurki, świderki, muszle.

- ryż biały i brązowy
- ziarna amarantusa; ekspandowane ziarna amarantusa
- domowa bułka tarta (zmielone czerstwe pieczywo)
- preparowany (inaczej: dmuchany lub ekspandowany) ryż, kasza jaglana, gryka, pszenica

Dmuchane ziarna zbóż świetnie sprawdzają się jako przekąska między głównymi posiłkami oraz jako dodatek do mleka lub jogurtu.

Tłuszcze:

- do smażenia i duszenia: olej rzepakowy, olej kokosowy, oliwa, masło klarowane
- na zimno (m.in. do ryżu, sałatek): oliwa, masło, olej lniany, olej słonecznikowy, olej z pestek winogron

Ziarna, pestki, orzechy:

- pestki dyni, wyłuskane ziarna słonecznika, wiórki kokosowe, siemię lniane, sezam, czarnuszka, migdały, orzechy (laskowe, włoskie, ziemne)

Suszone owoce:

- daktyle, morele, żurawina, figi, rodzynki

Wybieraj **owoce** bez substancji konserwującej – dwutlenku siarki i kwasu sorbowego.

Warzywa:

- włoszczyzna, dynia, burak, cebula, ziemniaki, czosnek, cukinia, pomidor, szpinak

Wybieraj **warzywa sezonowe**, zaś zimą, kiedy nie ma zbyt dużego wyboru, sięgaj po mrożonki. Są one doskonałym źródłem witamin, na które w okresie jesienno-zimowym organizm ma największe zapotrzebowanie.

- warzywa strączkowe: soczewica czerwona, ciecierzyca (groch włoski)

Produkty mleczne i mleka roślinne:

- mleko krowie pasteryzowane
- domowe mleko roślinne (m.in.: owsiane, słonecznikowe, s. 200)
- jogurt naturalny, s. 199

W sklepie wybieraj **jogurt**, który w składzie ma tylko dwa składniki: mleko i żywe kultury bakterii.

- twaróg naturalny
- mleko kokosowe (z puszki)

Jeśli w przepisach znajduje się **„mleko"**, zawsze możesz używać wymiennie mleka krowiego lub wybranego roślinnego.

Jajka

Możesz używać jajek kurzych lub przepiórczych (1 jajko kurze, w zależności od wielkości, odpowiada 4-5 jajkom przepiórczym). Wybieraj jajka z chowu wolnowybiegowego, oznaczone „0" lub „1".

CZYM ZASTĄPIĆ JAJKO?

W przypadku stwierdzonej alergii na jajko można użyć którejś z poniższych alternatyw. Wypróbuj różne sposoby i wybierz dla siebie najodpowiedniejszy.

1 jajko to:

- ½ rozgniecionego na papkę banana – w daniach na słodko, np. naleśnikach, babeczkach, muffinkach, ciastkach,
- ½ szklanki puree z dyni – w babeczkach, ciastach, muffinkach o korzennym smaku (np. z dodatkiem cynamonu),
- ½ szklanki cukinii startej na małych oczkach (dobrze odsączonej z soku) – w babeczkach, ciastkach, muffinkach,
- 1 kopiasta łyżka mąki owsianej (lub zmielonych płatków owsianych) albo kukurydzianej wymieszanej z 2 łyżkami wody – w naleśnikach, ciastkach, do panierowania kotletów,
- 1 łyżka zmielonego siemienia lnianego wymieszanego z 2 łyżkami gorącej wody (odstaw na 15 min. do napęcznienia) – w babeczkach, kruchych ciastach, wytrawnych ciastach, muffinkach, klopsach, pulpetach,
- ½ szklanki jogurtu naturalnego – w chlebie, muffinkach, ciasteczkach, babeczkach, do panierowania,
- 2 łyżki mąki ziemniaczanej – w naleśnikach.

CZYM DOPRAWIAĆ, BY NIE SOLIĆ?

W naszych przepisach nie stosujemy soli. Niemowlęta nie powinny jej spożywać, a rodzicom dobrze zrobi ograniczenie spożycia. Aby podkreślić smak potrawy, możesz użyć innych przypraw:

Zioła

Polecamy stosowanie w kuchni przede wszystkich świeżych ziół.

- bazylia, oregano, tymianek (jajka, ser, drób, wieprzowina, jagnięcina, warzywa, makaron, sosy, zupy),
- rozmaryn (pieczywo, ryby, drób, jagnięcina, wieprzowina, sosy),
- koperek (warzywa, sery, jajka, pieczywo, ryby, zupy),
- natka pietruszki (pieczywo, ser, jajka, drób, wieprzowina, ryby, zupy, sosy),
- lubczyk (zupy, sosy),
- mięta (zupy, makaron),
- estragon (ser, jajka, drób, ryby, warzywa),
- szczypiorek (ser, jajka, warzywa).

Przyprawy w proszku:

- słodka papryka (warzywa, mięso, zupy, sosy),
- curry (drób, ryż, warzywa),
- kurkuma (jajka, ryby, ryż, sosy),
- gałka muszkatołowa (ser, jajka, warzywa, sosy, makarony),
- pieprz (ser, jajka, każdy rodzaj mięsa, warzywa, sosy, zupy).

Inne:

- sok z cytryny (ryby, drób, sosy),
- korzeń imbiru (drób, ryby, wołowina, sosy),

• cebula (jajka, wołowina, wieprzowina, drób, sosy, makaron, zupy, warzywa),
• czosnek (pieczywo, drób, wieprzowina, jagnięcina, warzywa, sosy, makaron),
• suszone pomidory (drób, wieprzowina, sosy, makaron).

ZDROWSZE ALTERNATYWY DLA CUKRU

Jeśli chcesz dosłodzić danie, wybierz zdrowsze od cukru sposoby. Możesz użyć np.
• bardzo słodkich świeżych owoców, np. banana, gruszki,
• suszonych owoców, np. rodzynek, fig, śliwek, daktyli, żurawiny, moreli,
• syropu z suszonych owoców np. daktylowego (s .202),
• miodu (pamiętaj, by nie podawać go dzieciom poniżej pierwszego roku życia – z uwagi na ryzyko wystąpienia botulinizmu),
• syropu klonowego.

Do podkreślania smaku potraw możesz też użyć wanilii, cynamonu, wiórków kokosowych, kardamonu, kakao, karobu, liści laurowych, ziela angielskiego, niebieskiego maku, ziół prowansalskich, masła orzechowego (s. 40).

Karob (inaczej: mączka chleba świętojańskiego) to łagodny zamiennik kakao, który nie wywołuje alergii.

Przydatne akcesoria kuchenne

Blender ręczny

To małe urządzenie na pewno przyda się w każdej kuchni. Dzięki niemu bez trudu przygotujesz kremowe zupy, gładkie sosy, musy i koktajle.

Standardowy blender kuchenny składa się z dwóch części: nasadki miksującej, potocznie zwanej „żyrafą", oraz szerokiego pojemnika z nożykiem, za pomocą którego szybko pokroisz niektóre warzywa, rozdrobnisz owoce czy przygotujesz masło orzechowe.

Mikser

Mikser kuchenny jest niezastąpiony, gdy chcemy szybko wymieszać ciasto lub ubić jajka. W standardowym wyposażeniu są dwa rodzaje końcówek:
• do mieszania lub ubijania (do mieszania ciast np. naleśnikowych, ubijania białka),
• do zagniatania (służą do wyrabiania ciast drożdżowych).

Młynek

Pomocny przy mieleniu wszelkiego rodzaju ziaren, np. pestek dyni, słonecznika czy sezamu. Mieląc kaszę (np. jaglaną), uzyskasz z niej mąkę.

Formy do pieczenia

Warto zaopatrzyć się w kilka form do pieczenia. Przydadzą się: podłużna keksówka, tortownica, forma prostokątna oraz foremki do babeczek i muffinek.

Patelnia

Dobra patelnia jest na wagę złota. Nasze dania przygotowujemy zawsze na patelni teflonowej, świetnie sprawdzają się również te z powłoką ceramiczną, żeliwną lub tytanową. Wybierz taką, na której wygodnie będzie smażyć zarówno naleśniki, jak i jajka, kotlety lub placki – nie musisz mieć oddzielnych patelni do wszystkiego.

Pozostałe

Przyda ci się też:
• kilka rodzajów noży (mały do obierania, duży do siekania i krojenia),
• rózga lub trzepaczka do jajek,

• obieraczka do warzyw,
• naczynie żaroodporne (np. do zapiekanek),
• garnek lub wkładka do gotowania na parze,
• tarka (do warzyw, owoców i serów),
• durszlak i drobne sito (konieczne przy odcedzaniu makaronów, sitko o małych oczkach przyda się m.in. do płukania kaszy jaglanej),
• przesiewacz do mąki,
• pojemniki do przechowywania (m.in. do kasz, ziaren, płatków).

I kluczowa uwaga: w gotowaniu najważniejsza jest wyobraźnia. Eksperymentuj, dodawaj, zmieniaj, dostosowuj składniki do swoich potrzeb. My proponujemy przepisy, ty się nimi baw. Z czasem, kiedy dziecko podrośnie, na pewno chętnie włączy się do kuchennych prac!

Smacznej zabawy dla całej rodziny.

Zaczynamy!

Pamiętaj o produktach niewskazanych w diecie dziecka na początku rozszerzenia diety. Są to m.in:

• mleko krowie,
• miód,
• grzyby,
• surowe mięso i jaja,
• sól i cukier,
• potrawy smażone,
• podroby,
• żywność wysoko przetworzona,
• słodzone i gazowane napoje,
• całe orzechy (ryzyko zakrztuszenia),
• bardzo słone produkty (np. wędzone ryby, sos sojowy),
• wywary mięsne.

Uwagi techniczne

• Jeśli zaznaczamy dany składnik jako „opcjonalny" – nie wpłynie on znacząco na smak potrawy.
• Nie zapominaj o podstawowych zasadach higieny – myj dokładnie owoce, warzywa, jajka i mięso.
• Wybieraj zdrowe zamienniki cukru i soli (s. 14 i 15).
• Na początku rozszerzania diety nowości podawaj stopniowo (w przypadku alergii łatwo zorientujesz się, który produkt ją wywołał).

• Podawany czas pieczenia jest **orientacyjny** – dostosuj go do właściwości swojego piekarnika. Pamiętaj, aby pod koniec pieczenia skontrolować stopień zrumienienia.

• Aby ułatwić korzystanie z przepisów, większość sypkich składników przeliczyłyśmy na szklanki o pojemności **250 ml**.

Rozdział 1

Chcę tego spróbować!

Początek rozszerzania diety to dla rodzica wielkie wyzwanie, lęki i wiele wątpliwości. Zupełnie inaczej odbiera to dziecko. Dla niego to piękny czas kolejnych odkryć, zabawy i poznawania smaków. Bardzo ważne jest, by zaufać dziecku, tak jak ufamy mu w innych dziedzinach rozwoju. To ono samo decyduje, kiedy zacznie raczkować, siadać czy chodzić. Dlaczego więc w tym przypadku miałoby być inaczej? Zadaniem rodzica jest jedynie stworzyć mu dobre warunki do tego, by mogło uczyć się, jak jeść i jak czerpać z tego przyjemność. W tym rozdziale znajdziesz przepisy na potrawy idealne dla dziecka, które rozpoczyna rozszerzanie diety, a do tej chwili znało jedynie smak mleka. To potrawy lekkie, oparte głównie na warzywach i owocach, gotowane albo parowane.

KOSTKI JAGLANE Z MUSEM GRUSZKOWYM

Liczba sztuk: ok. 20

Zanim zaczniesz:

Morele opłucz i drobno posiekaj. Kaszę przesyp na suchą patelnię i praż, potrząsając patelnią, przez ok. 2 minuty, aż poczujesz orzechowy zapach. Zdejmij patelnię z ognia, wypłucz kaszę gorącą wodą. Przygotuj blender.

Składniki:

½ szklanki kaszy jaglanej
2 szklanki wody
2 suszone morele
1 słodka gruszka

Wykonanie:

- W garnku zagotuj wodę. Do wrzątku wsyp kaszę, morele i gotuj pod przykryciem na najmniejszym ogniu przez 18 minut, do wchłonięcia wody (nie podnoś pokrywki i nie mieszaj kaszy podczas gotowania).
- Głębokie naczynie z płaskim dnem opłucz zimną wodą. Ugotowaną kaszę zblenduj i przełóż do naczynia. Wyrównaj powierzchnię kaszy łyżką. Pozostaw do całkowitego ostygnięcia.
- Szerokim nożem pokrój ostudzoną kaszę na kostki.
- Gruszkę obierz, przekrój na pół, usuń gniazdo nasienne i zblenduj na mus. Polej kostki musem.

Rada:

Jeśli chcesz podać kostki na ciepło, możesz je podgrzać chwilkę w wodzie lub mleku, na małym ogniu, delikatnie obracając.
Mus owocowy możesz przygotować z innych owoców, np. malin, jagód, kiwi, truskawek, mango itp.

WARZYWNE KOSTKI KUKURYDZIANE

Liczba sztuk: ok. 20

Zanim zaczniesz:

Warzywa ugotuj do miękkości, a następnie obierz i pokrój w małą kostkę.

Wykonanie:

- Zagotuj wodę, do wrzątku wsyp kaszkę i całość zamieszaj rózgą.
- Gotuj kaszkę na średnim ogniu przez ok. 3-4 minuty, cały czas mieszając. Pod koniec gotowania dodaj przyprawy, pokrojone warzywa i oliwę. Całość delikatnie wymieszaj i zdejmij z ognia.
- Głęboki talerz lub prostokątne naczynie opłucz zimną wodą i przełóż do niego gorącą kaszkę. Gdy stężeje i całkiem ostygnie, pokrój ją w małe kostki.

Opcja dla dorosłych:

Porcję dla dorosłych możesz doprawić większą ilością przypraw i solą. Warzywne kostki mogą stanowić dodatek do dania mięsnego.

Składniki:

½ szklanki kaszki kukurydzianej
2 szklanki wody
1 marchewka
1 pietruszka
1 łyżka oliwy
½ łyżeczki suszonego oregano
½ łyżeczki suszonej bazylii
szczypta gałki muszkatołowej

Rada:

Do kaszki możesz także dodawać inne warzywa i przyprawy, np. paprykę, cebulę, zielony groszek, curry, tymianek. Ugotowaną kaszkę możesz też zapiec w piekarniku. Piecz ją przez ok. 20 minut w 200 °C z termoobiegiem. Po całkowitym ostygnięciu pokrój w słupki albo kostki. Pieczona kaszka jest bardziej aromatyczna, ma wyrazisty smak i chrupiącą skórkę.

KOSTKI ZBOŻOWE Z DYNIĄ

Liczba sztuk: ok. 20

Zanim zaczniesz:

Rodzynki opłucz i drobno posiekaj.

Wykonanie:

- Wlej wodę do garnka, wsyp posiekane rodzynki i doprowadź całość do wrzenia.
- Powoli wsypuj kaszkę, mieszając bez przerwy rózgą, by nie powstały grudki.
- Gotuj ok. 2-3 minut, aż kaszka zacznie gęstnieć, a następnie dodaj puree z dyni i całość wymieszaj. Gotuj przez kolejną minutę.
- Naczynie z płaskim dnem opłucz pod zimną wodą i przełóż do niego gorącą kaszkę. Gdy stężeje i całkiem ostygnie, pokrój ją w małe kostki.

Opcja dla dorosłych:

Tak przygotowane danie możesz zabrać do pracy jako przekąskę.

Składniki:

1 ½ szklanki wody
½ szklanki kaszki orkiszowej lub manny
½ szklanki puree z dyni (s. 203)
1 łyżka rodzynek

Rada:

Jeśli chcesz podać dziecku ciepłe kostki, podgrzej je w wodzie lub w piekarniku.

KULKI JĘCZMIENNE Z BURAKIEM

Liczba sztuk: ok. 10

Zanim zaczniesz:

Buraka ze skórką ugotuj do miękkości w wodzie lub na parze. Kaszę wypłucz zimną wodą i wsyp do wrzątku. Gotuj pod przykryciem, aż kasza zmięknie i wchłonie cały płyn (ok. 15 minut). Pozostaw na chwilę do przestygnięcia.

Składniki:

⅓ szklanki kaszy jęczmiennej
1 szklanka wody
1 burak
5 łyżek amarantusa ekspandowanego
1 łyżeczka drobno posiekanej natki pietruszki
1 łyżeczka soku z cytryny

Wykonanie:

- Ugotowanego buraka obierz i zetrzyj na najmniejszych oczkach tarki. Odmierz pół szklanki startego warzywa i połącz z jeszcze ciepłą, ugotowaną kaszą.
- Dodaj amarantus, natkę i sok z cytryny. Formuj dłońmi kulki wielkości orzecha laskowego lub większe, w zależności od upodobań dziecka. Podawaj na ciepło lub na zimno.

Opcja dla dorosłych:

Kulki możesz podać jako dodatek do dań z mięsem.

Rada:

Jeśli masa jest zbyt wilgotna, możesz dosypać więcej amarantusa lub dodać łyżkę zmielonych pestek dyni. Słodszy smak kulek uzyskasz, dodając kilka posiekanych suszonych owoców żurawiny.

KULKI RYŻOWE Z BROKUŁAMI I ŁOSOSIEM

Liczba porcji: 3

Zanim zaczniesz:

Ryż wypłucz w zimnej wodzie. Koperek drobno posiekaj. Łososia umyj, natrzyj sokiem z cytryny, posyp koperkiem i odstaw na 15 minut. Przygotuj garnek do gotowania na parze.

Wykonanie:

- Brokuł podziel na mniejsze różyczki i ugotuj na parze bądź w wodzie do miękkości (ok. 8-10 minut).
- Zagotuj 2½ szklanki wody, wsyp ryż i gotuj na małym ogniu pod przykryciem ok. 20 minut (do miękkości). Pod koniec gotowania dodaj szczyptę kurkumy i wymieszaj. Ugotowany ryż polej oliwą i ponownie wymieszaj.
- Zamarynowany filet z łososia przełóż do garnka. Gotuj rybę na parze przez ok. 12 minut.
- 3 łyżki gorącego ryżu połącz z 2 rozgniecionymi różyczkami brokułu oraz małym kawałkiem ryby i odrobiną koperku. Zwilż dłonie wodą i formuj małe kuleczki. Kulki podaj dziecku, a dorośli mogą zjeść tradycyjny obiad z porcją ryżu, ryby i brokułów.

Opcja dla dorosłych:

Pozostały ryż, brokuły i rybę możesz doprawić solą i pieprzem. Łososia możesz posypać pieprzem ziołowym.

Składniki:

1 szklanka ryżu
2½ szklanki wody
1 filet z łososia bez skóry (ok. 400 g)
⅓ łyżeczki kurkumy
2 łyżki oliwy
1 brokuł
2 łyżeczki soku z cytryny
½ pęczka koperku

Rada:

Dopasuj wielkość kuleczek do małych rączek dziecka, aby mogło z łatwością je chwycić i podnieść.
Jeśli masa jest zbyt wilgotna, możesz dosypać łyżkę amarantusa ekspandowanego lub zmielonych pestek dyni.
Łososia możesz też piec w piekarniku (na blaszce wyłożonej papierem do pieczenia), w 180°C z termoobiegiem przez ok. 18-20 minut.

JAGLANE KULECZKI

Liczba sztuk: ok. 10

Zanim zaczniesz:

Kaszę wypłucz dwukrotnie gorącą wodą.

Składniki:

½ szklanki kaszy jaglanej
1 szklanka wody
½ łyżeczki oliwy

Wykonanie:

- W garnku zagotuj wodę, a następnie wsyp kaszę i przykryj pokrywką.
- Gotuj kaszę przez ok. 18 minut na najmniejszym ogniu (nie podnoś pokrywki i nie mieszaj kaszy podczas gotowania), a następnie zdejmij garnek z ognia i dodaj oliwę. Delikatnie wymieszaj.
- Dłońmi zwilżonymi wodą uformuj z gorącej kaszy kuleczki wielkości orzecha laskowego. Podawaj na ciepło lub na zimno.

Opcja dla dorosłych:

Kuleczki możesz doprawić dowolnymi przyprawami, np. posiekanymi świeżymi lub suszonymi ziołami.

Rada:

Dopasuj wielkość kulek do rączek dziecka.
Smak kulek możesz dowolnie modyfikować, np. dodając startą ugotowaną marchewkę, buraka, pietruszkę, amarantus ekspandowany, zmielone pestki dyni, bardzo drobno posiekane suszone owoce lub obtaczając kulki w zmielonych ziarnach słonecznika czy wiórkach kokosowych.

ŻÓŁTE KULKI Z KASZY KUSKUS

Liczba sztuk: ok. 8

Zanim zaczniesz:

Wodę lub bulion zagotuj w garnku.

Wykonanie:

- Do miseczki wsyp kaszę i zalej wrzącą wodą lub bulionem. Przykryj talerzykiem i pozostaw na 5 minut, aby kasza napęczniała.
- Bardzo ciepłą kaszę wymieszaj z rozgniecionymi żółtkami, posiekanym koperkiem i oliwą. Rękoma wymieszaj masę i uformuj małe kuleczki. Podawaj na ciepło.

Opcja dla dorosłych:

Z kaszy kuskus możesz przygotować sałatkę: dodaj ugotowane i posiekane jajko, koperek, czerwoną paprykę, szynkę, jogurt i ulubione zioła.

Składniki:

½ szklanki kaszy kuskus
½ szklanki wody lub bulionu warzywnego **(s. 204)**
2 łyżeczki posiekanego koperku
2 żółtka (z ugotowanych na twardo jaj)
1 łyżeczka oliwy

Rada:

Kasza kuskus jest bardzo sypka – kulki można uformować tylko z mocno ciepłej kaszy. Jeśli kasza ostygnie, nie będzie już wystarczająco klejąca.

LECZO

Liczba porcji: 4

Zanim zaczniesz:

Sparz pomidory i obierz je ze skórki. Obierz cebulę. Przygotuj wysoki garnek.

Wykonanie:

- Przygotuj warzywa: cukinię i paprykę pokrój w słupki, cebulę w piórka, fasolkę, jeśli jest długa – przepołów, pomidory pokrój w kostkę.
- Cebulę zeszklij na odrobinie oliwy i przełóż ją do wysokiego garnka.
- Do cebuli dodaj fasolkę i zalej bulionem lub wodą. Gotuj pod przykryciem ok. 10 minut, a następnie dodaj paprykę, cukinię, pomidory, przeciśnięty przez praskę czosnek oraz zioła. Duś wszystko do momentu, aż warzywa zmiękną, a z pomidorów powstanie sos.
- Podawaj posypane drobno posiekanym koperkiem.

Opcja dla dorosłych:

Leczo możesz doprawić solą i pieprzem oraz szczyptą ostrej papryki w proszku.

Składniki:

2 cukinie
3 pomidory
garść fasolki szparagowej
1 czerwona papryka
1 mała cebula
2 ząbki czosnku
1 łyżka posiekanych listków bazylii
1 łyżka posiekanego oregano
½ pęczka koperku
1 szklanka bulionu lub wody
oliwa do podsmażenia

Rada:

Warzywa pokrój tak, aby dziecku było wygodnie je chwytać.

Chcę tego spróbować!

WARZYWA DUSZONE W MLEKU KOKOSOWYM

Liczba porcji: 3

Zanim zaczniesz:

Oczyść i obierz warzywa.

Składniki:

1 marchewka
4 różyczki kalafiora
4 różyczki brokułu
1 mała cukinia
garść fasolki szparagowej
1 szklanka bulionu (s. 204)
1 szklanka mleka kokosowego
szczypta curry w proszku

Wykonanie:

- Marchewkę i cukinię pokrój w słupki. Przełóż marchewkę, fasolkę i kalafior do garnka, zalej bulionem i duś pod przykryciem 10 minut. Następnie dodaj cukinię i brokuł i gotuj kolejne 5 minut.
- Do gotujących się warzyw wlej mleko kokosowe, dodaj curry i gotuj wszystko jeszcze przez ok. 5 minut bez przykrycia, od czasu do czasu mieszając.

Opcja dla dorosłych:

Warzywa możesz doprawić solą i pieprzem. Danie doskonale komponuje się z ryżem i kurczakiem.

Rada:

Możesz użyć innych warzyw, np. marchewki czy pietruszki.

SAŁATKA Z BURAKA I GRUSZKI

Liczba porcji: 2

Zanim zaczniesz:

Ugotuj lub upiecz buraki w skórce do miękkości, ostudź i obierz. Gruszkę obierz i usuń gniazdo nasienne.

Składniki:

3 średnie buraki
1 duża słodka gruszka lub 2 małe
1 łyżka oliwy
kilka kropel soku z cytryny
opcjonalnie:
2-3 listki mięty

Wykonanie:

- Wystudzone buraki oraz gruszkę pokrój w słupki i przełóż do miseczki.
- Przygotuj sos: do łyżki oliwy dodaj kilka kropel soku z cytryny i drobno posiekane listki mięty. Całość wymieszaj.
- Polej sałatkę sosem.

Chcę tego spróbować!

MAKARON Z SOSEM POMIDOROWO-PAPRYKOWYM

Liczba porcji: 4

Zanim zaczniesz:

Pomidory i papryki sparz wrzątkiem i obierz ze skórki. Przygotuj blender.

Wykonanie:

- Cebulę obierz i pokrój w małą kostkę. Zeszklij na oleju w szerokim garnku.
- Pomidory pokrój na ćwiartki. Papryki przepołów, usuń gniazda nasienne, pokrój w kostkę. Warzywa włóż do garnka. Dodaj listek laurowy.
- Gotuj całość przez 5 minut na dużym ogniu, co chwilę mieszając, a następnie zmniejsz ogień i gotuj pod przykryciem przez kolejne 25 minut. Wyjmij listek laurowy.
- Dopraw sos do smaku ziołami i zblenduj.
- Makaron ugotuj do miękkości i polej go sosem.

Składniki:

2 duże czerwone papryki
2 duże dojrzałe pomidory
1 duża cebula
1 listek laurowy
3 łyżki oleju rzepakowego
½ łyżeczki suszonego tymianku
½ łyżeczki suszonego oregano
makaron (rurki, penne lub świderki)

Opcja dla dorosłych:

Sos możesz doprawić solą i pieprzem.

Rada:

Jeśli chcesz, by sos był aksamitnie gładki, po zblendowaniu przetrzyj go przez drobne sito. Jeśli chcesz zagęścić sos, wlej do niego ½ szklanki wody wymieszanej z łyżką mąki kukurydzianej lub pszennej i zagotuj.
Sos możesz wykorzystać do dań z mięsem lub rybą.

MUSZLE NADZIEWANE KREMEM WARZYWNYM

Liczba sztuk: 10

Zanim zaczniesz:

Warzywa obierz. Marchew i pietruszkę zetrzyj na grubych oczkach, a ziemniaki pokrój w małą kostkę. Przygotuj blender.

Wykonanie:

- W garnku zagotuj 2 szklanki wody lub bulionu. Soczewicę przepłucz na sitku gorącą wodą i przesyp do garnka. Doprowadź do wrzenia i zdejmij „piankę".
- Dodaj starte marchewki i pietruszkę oraz pokrojone ziemniaki. Gotuj pod przykryciem na małym ogniu ok. 15 minut, od czasu do czasu mieszając.
- Zdejmij pokrywkę i gotuj kolejne 5-8 minut, by nadmiar wody wyparował.
- Warzywa zblenduj na gęsty krem, dodaj oliwę i wymieszaj.
- Makaron ugotuj do miękkości. Napełnij muszle kremem i posyp posiekaną natką pietruszki. Podawaj na ciepło.

Opcja dla dorosłych:

Krem warzywny możesz rozcieńczyć niewielką ilością bulionu i podać jak zupę.

Składniki:

2 szklanki wody lub bulionu warzywnego (s. 204)
½ szklanki czerwonej soczewicy
2 marchewki
2 ziemniaki
1 pietruszka
½ pęczka natki pietruszki
1 łyżka oliwy
10 dużych muszli makaronowych

Rada:

Muszle makaronowe możesz nadziewać farszami warzywnymi, np. dodając do soczewicy zielony groszek, seler, szpinak z serem lub owocowymi, np. blendując banana czy truskawki.

MAKARON Z BURACZANYM PESTO

Liczba porcji: 3

Zanim zaczniesz:

Przygotuj blender i głęboką miskę. Buraki ugotuj w skórce, ostudź i obierz.

Wykonanie:

- Pokrój buraki na mniejsze kawałki i przełóż do miski. Obierz gruszkę, usuń gniazdo nasienne, pokrój na mniejsze kawałki i dodaj do buraków wraz ze słonecznikiem, sokiem z cytryny i oliwą. Zblenduj całość.
- Ugotuj makaron. Jeszcze gorący dodaj do pesto i dokładnie wymieszaj.

Składniki:

2 buraki
1 słodka gruszka
1 łyżka łuskanego słonecznika
1 łyżeczka soku z cytryny
1 łyżka oliwy
makaron (np. świderki lub penne)

Rada:

Sok z cytryny jest tu niezbędny – pomaga wchłaniać żelazo z buraków i zachować kolor warzywa.

PASTA Z AWOKADO

Liczba porcji: 4

Zanim zaczniesz:

Ugotuj jajko i wystudź. Awokado przetnij wzdłuż, przekręć połówki w odwrotnym kierunku i rozdziel.

Wykonanie:

- Wyjmij pestkę z awokado i skrop miąższ sokiem z cytryny. Wyjmij go łyżeczką, przełóż na talerz i rozgnieć widelcem.
- Jajko obierz ze skorupki i pokrój w małą kostkę.
- Jeśli dodajesz cebulę, posiekaj ją drobno, a czosnek przeciśnij przez praskę.
- Połącz składniki, skrop całość łyżką soku z cytryny i wymieszaj łyżką lub zblenduj na gładką pastę.

Opcja dla dorosłych:

Pastę można doprawić solą, świeżo zmielonym pieprzem oraz łyżką jogurtu naturalnego (s. 199).

Składniki:

1 dojrzałe awokado
1 jajko
sok z ½ cytryny
1 łyżka posiekanej natki pietruszki
opcjonalnie:
1 mała cebula lub 1 ząbek czosnku

Rada:

Pasta smakuje najlepiej, kiedy posmarujesz nią pieczywo, wafle ryżowe lub naleśniki.

Rozdział 2

Wstajemy!

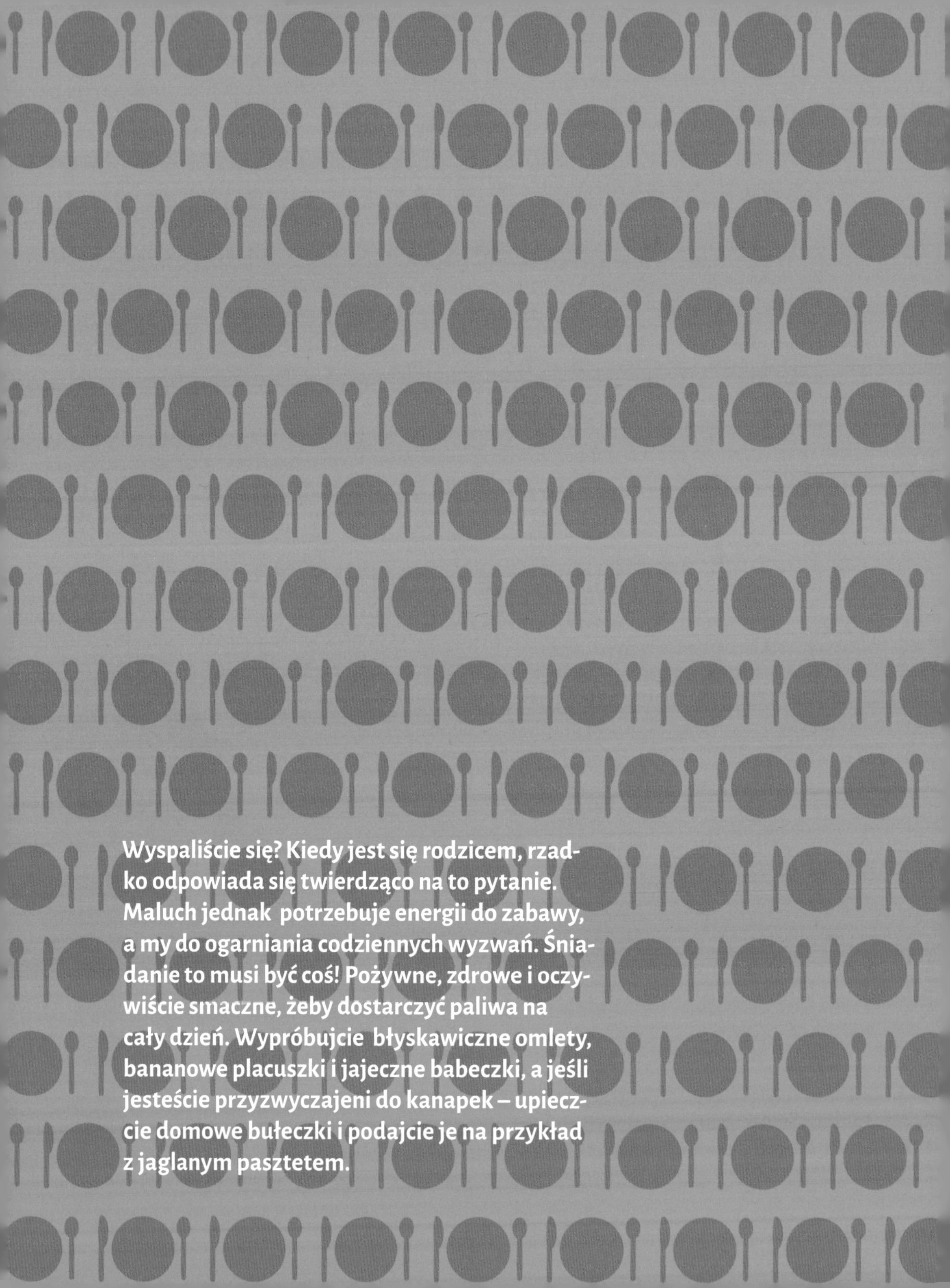

Wyspaliście się? Kiedy jest się rodzicem, rzadko odpowiada się twierdząco na to pytanie. Maluch jednak potrzebuje energii do zabawy, a my do ogarniania codziennych wyzwań. Śniadanie to musi być coś! Pożywne, zdrowe i oczywiście smaczne, żeby dostarczyć paliwa na cały dzień. Wypróbujcie błyskawiczne omlety, bananowe placuszki i jajeczne babeczki, a jeśli jesteście przyzwyczajeni do kanapek – upieczcie domowe bułeczki i podajcie je na przykład z jaglanym pasztetem.

PASTA RYBNA À LA PAPRYKARZ

Zanim zaczniesz:

Rybę umyj i osusz, upewnij się, że nie ma ości. Pokrój na trzy mniejsze kawałki. Pomidory sparz i obierz.

Wykonanie:

- Na patelni rozgrzej łyżkę oleju, połóż kawałki ryby i podsmaż chwilę z obu stron. Podlej niewielką ilością wody (ok. ⅓ szklanki) i duś pod przykryciem na małym ogniu przez 10 minut, aż ryba zmięknie. Pozostaw do ostygnięcia, a następnie drobno posiekaj.
- Cebulę obierz i pokrój w małą kostkę. Marchew i pietruszkę obierz i zetrzyj na dużych oczkach. Paprykę obierz ze skórki, usuń pestki i pokrój w małą kostkę. Z pomidorów usuń pestki i pokrój na mniejsze cząstki.
- W garnku rozgrzej łyżkę oleju, dodaj cebulę i lekko podsmaż. Dodaj startą marchew i pietruszkę, pokrojoną paprykę i wymieszaj. Dodaj pomidory, ziele angielskie i listek laurowy. Wymieszaj całość i duś na małym ogniu do momentu, aż warzywa zmiękną (ok. 15 minut).
- Wyjmij z farszu ziele angielskie i listek laurowy. Warzywa zblenduj na gładko, dodaj ryż, kawałki ryby, słodką i ostrą paprykę, szczyptę pieprzu i drobno posiekaną natkę pietruszki. Wymieszaj całość łyżką, przełóż do miseczki i odstaw do lodówki.

Składniki:

filet z dorsza/morszczuka/ mintaja bez skóry (ok. 60 g)
2 duże dojrzałe pomidory
1 marchew
1 pietruszka
1 cebula
¼ czerwonej papryki
1 szklanka ugotowanego ryżu
3 gałązki natki pietruszki
1 listek laurowy
1 ziele angielskie
po ⅓ łyżeczki słodkiej i ostrej papryki w proszku
pieprz
olej rzepakowy (do smażenia)

Rada:

Do pasty możesz dodać również ząbek przeciśniętego przez praskę czosnku oraz większą ilość przypraw.

DOMOWE MASŁO ORZECHOWE

Zanim zaczniesz:

Orzeszki wsyp na suchą patelnię i upraż do momentu, aż się zezłocą (mieszaj co jakiś czas, by się nie przypaliły). Odstaw do całkowitego ostygnięcia. Przygotuj malakser.

Składniki:

1 ½ szklanki wyłuskanych orzeszków ziemnych (niesolonych)

Wykonanie:

- Przesyp orzeszki i zacznij miksować na najwyższych obrotach. Miksuj (z przerwami, by nie zagrzać silnika) aż do momentu, gdy orzeszki zaczną wydzielać olej. Przerwij, zbierz masę orzechową ze ścianek pojemnika, umieść ją na dole i miksuj dalej (ok. 10-15 minut), aż do uzyskania jednolitego gęstego kremu.
- Przełóż gotowe masło orzechowe do czystego słoika i przechowuj w lodówce (maksymalnie przez miesiąc).

Opcja dla dorosłych:

Masło możesz doprawić do smaku szczyptą soli.

Rada:

Masło orzechowe możesz dosłodzić syropem daktylowym (s. 202) lub miodem. Idealnie pasuje do kanapek ze świeżego pieczywa, a także jako smarowidło do słodkich tostów z owocami, np. bananami.

TWAROŻEK MIGDAŁOWO-BANANOWY

Zanim zaczniesz:

Przygotuj głęboką miseczkę i blender.

Wykonanie:

- Banana obierz ze skóry i rozgnieć widelcem.
- Przełóż twaróg do głębokiej miseczki, dodaj do niego banana i jogurt – zblenduj na gładką masę.
- Dodaj migdały i wymieszaj łyżką.

Składniki:

200 g twarogu
1 banan
2 łyżki zmielonych migdałów
1 łyżka jogurtu naturalnego (s. 199)

Rada:

Twarożek możesz podać na pieczywie lub użyć jako nadzienie do naleśników.

TWAROŻEK ZIOŁOWY

Zanim zaczniesz:

Przygotuj blender, tarkę i głęboką miseczkę.

Wykonanie:

- Zioła drobno posiekaj, paprykę zetrzyj na najdrobniejszych oczkach tarki, wyciśnij czosnek przez praskę.
- Przełóż twaróg do miseczki, dodaj jogurt i zblenduj na gładką masę.
- Dodaj do masy zioła, czosnek i paprykę i wymieszaj łyżką.

Opcja dla dorosłych:

Twarożek można doprawić solą i pieprzem oraz dodać więcej czosnku.

Składniki:

200 g twarogu
1 łyżka jogurtu naturalnego (s. 199)
¼ czerwonej papryki
1 mały ząbek czosnku
świeże zioła: po 1 łodyżce oregano, bazylii i koperku

Rada:

Twarożek możesz podać na pieczywie.
Zamiast czosnku możesz dodać posiekany szczypiorek.

KANAPKOWY KREM CZEKOLADOWY

Zanim zaczniesz:

Przygotuj blender i głęboką miseczkę.

Wykonanie:

- Banany obierz, awokado przepołów, usuń pestkę, wydrąż miąższ łyżką i rozgnieć wszystko widelcem.
- Przełóż rozgniecione owoce do miseczki. Dodaj do nich kakao lub karob i migdały. Połącz składniki dokładnie – najlepiej blenderem.

Składniki:

2 banany
1 awokado
2 łyżki mielonych migdałów/ płatków migdałowych
2 łyżeczki kakao lub karobu

WĘDLINA Z INDYKA Z SUSZONYMI POMIDORAMI

Zanim zaczniesz:

Przygotuj folię spożywczą, gruby sznurek i foliowy rękaw do pieczenia.

Wykonanie:

- Mięso umyj i osusz. Przekrój w poprzek na pół, ale nie do końca – tak, by filet był w jednym kawałku. Rozłóż mięso na desce i rozbij tłuczkiem z obu stron (uważaj, by nie przedziurawić mięsa). Suszone pomidory odsącz z oleju i posiekaj na drobne kawałki.
- Na połowie płatu mięsa rozłóż posiekane pomidory, a następnie zroluj ciasno, zaczynając od strony, na której znajduje się nadzienie. Obwiąż zrolowane mięso grubym sznurkiem – dwa razy wzdłuż i kilkanaście razy w poprzek.
- Przygotuj marynatę: czosnek przeciśnij przez praskę, wymieszaj z olejem, papryką, bazylią i pieprzem. Posmaruj mięso marynatą z każdej strony.
- Owiń przygotowany kawałek indyka kilkukrotnie folią spożywczą i odstaw na min. 3 godziny do lodówki.
- Wyjmij mięso z folii i przełóż wraz z marynatą do rękawa. Zamknij szczelnie i nakłuj wykałaczką worek w kilku miejscach. Przełóż do naczynia żaroodpornego i wstaw na środkowy poziom piekarnika nagrzanego do 220°C. Piecz przez 15 minut, a następnie zmniejsz temperaturę do 170°C i piecz kolejne 40 minut.
- Wyciągnij mięso z piekarnika, pozostaw w rękawie przez godzinę, potem wyjmij, zdejmij sznurek i przełóż wędlinę na talerz. Pozostaw do całkowitego ostygnięcia. Gotową wędlinę przechowuj w lodówce.

Składniki:

filet z piersi indyka (ok. 600 g)
5 suszonych pomidorów (w oleju)
5 łyżeczek oleju (może być ten z pomidorów)
1 łyżeczka suszonej bazylii
1 łyżeczka słodkiej papryki w proszku
1 ząbek czosnku
szczypta pieprzu

Rada:

Dodaj do marynaty 1 łyżeczkę miodu, zyska bardziej delikatny, słodki smak.
Najlepiej zostawić zamarynowanego indyka w lodówce na całą dobę.

SZYNKA PO WŁOSKU

Zanim zaczniesz:

Umyj i osusz mięso. Czosnek obierz. Przygotuj dwie głębokie miski – mniejszą i większą.

Wykonanie:

- Przygotuj marynatę: do mniejszej miski przełóż oliwki, pomidory i przeciśnięte przez praskę cztery ząbki czosnku. Wszystko dokładnie zblenduj. Dodaj drobno porwaną bazylię i łyżkę oliwy. Wymieszaj.
- Mięso nakłuj w kilku miejscach nożem i w te miejsca powciskaj pozostałe ząbki czosnku. Starannie natrzyj mięso marynatą i włóż na co najmniej godzinę do lodówki, a najlepiej na całą noc.
- Nastaw piekarnik na 180°C z termoobiegiem. Zdejmij połowę marynaty z mięsa i przełóż je do rękawa do pieczenia. Zamknij go szczelnie i nakłuj w kilku miejscach. Ułóż na blaszce i wsuń ją na środkowy poziom piekarnika.
- Mięso piecz 70 minut, przy czym ostatnie 15 minut przy rozciętej i rozłożonej na boki folii, aby lekko się zrumieniło.

Składniki:

ok. 1 kg surowej szynki wieprzowej
½ szklanki zielonych oliwek bez pestek
4 suszone pomidory w oleju
garść liści świeżej bazylii
1 główka czosnku
1 łyżka oleju (może być ten z pomidorów)

Rada:

Mięso doskonale nadaje się zarówno do kanapek, jak i jako danie obiadowe. Jeśli chcemy użyć szynki do kanapek, pamiętajmy, by pokroić ją dopiero wówczas, gdy całkowicie ostygnie.

PASZTET AMARANTUSOWO--WARZYWNY

Zanim zaczniesz:

Wypłucz ziarna amarantusa i soczewicę. Obierz warzywa, pokrój je na drobniejsze kawałki, a cebulę drobno posiekaj. Zagotuj w 3 garnkach wodę do ugotowania amarantusa, soczewicy i warzyw.

Wykonanie:

- Ziarna amarantusa gotuj pod przykryciem w 2 szklankach wody przez ok. 20 minut. W drugim garnku gotuj pod przykryciem soczewicę w 2 szklankach wody przez ok. 10-15 minut. W trzecim ugotuj do miękkości warzywa. Cebulę zeszklij na odrobinie oliwy. Wszystko ostudź.
- Przełóż wszystkie ugotowane i ostudzone składniki do dużej i głębokiej miski – zblenduj dokładnie na gładką masę.
- Dodaj do masy mąkę, jajka, wyciśnięty czosnek, drobno posiekany koperek, pieprz i sproszkowaną paprykę. Wszystko dokładnie wymieszaj. Keksówkę wysmaruj oliwą i przełóż do niej całą masę.
- Piecz pasztet w piekarniku z termoobiegiem, w temperaturze 180 °C na środkowym poziomie przez 70 minut.

Opcja dla dorosłych:

Pasztet możesz doprawić solą i ostrą papryką w proszku.

Składniki:

1 szklanka ziaren amarantusa
1 szklanka czerwonej soczewicy
4 szklanki wody
2 marchewki
1 pietruszka
4 różyczki brokułu
1 cebula
2 jajka
2 łyżki mąki gryczanej lub pszennej
2 ząbki czosnku
½ pęczka koperku
1 łyżeczka słodkiej papryki w proszku
szczypta pieprzu
oliwa

Rada:

Możesz użyć innych warzyw (kalafiora, czerwonej papryki, selera), pamiętaj, że ma ich być ok. 1 szklanki.
Gotując amarantus i soczewicę, zwróć uwagę, by wchłonęły całą wodę. Jeśli to konieczne, wydłuż czas gotowania lub pod koniec podnieś pokrywkę, aby woda wyparowała.
Pasztet pokrój dopiero po całkowitym ostygnięciu.

JAGLANY PASZTET MIĘSNO-WARZYWNY

Zanim zaczniesz:

Kaszę przepłucz gorącą wodą i wrzuć do wrzątku. Gotuj ją pod przykryciem na najmniejszym ogniu ok. 18 minut, aż wchłonie cały płyn. Warzywa obierz i ugotuj do miękkości – wszystkie oprócz cebuli i papryki.

Wykonanie:

- Cebulę i paprykę drobno pokrój i zeszklij na patelni z łyżką oleju. Dodaj do nich mięso i chwilę jeszcze podsmażaj. Zalej wszystko przecierem pomidorowym, dodaj wyciśnięty przez praskę czosnek. Zamieszaj i duś pod przykryciem ok. 20 minut.
- Przełóż ugotowaną kaszę do wysokiej miski, dodaj warzywa i mięso. Wszystko zblenduj na gładką masę. Dodaj posiekany koperek, pieprz i wymieszaj łyżką.
- Wysmaruj keksówkę olejem i przełóż do niej masę. Wygładź łyżką i piecz 35-40 minut w temperaturze 200 °C z termoobiegiem, na środkowym poziomie.

Opcja dla dorosłych:

Masę możesz doprawić solą i ostrą papryką.

Składniki:

⅔ szklanki kaszy jaglanej
1 ½ szklanki wody
200 g mięsa mielonego drobiowego
2 małe marchewki
1 pietruszka
3 różyczki brokułu
½ czerwonej papryki
½ pęczka koperku
½ cebuli
2 ząbki czosnku
½ szklanki przecieru pomidorowego
olej rzepakowy
szczypta pieprzu

Rada:

Kaszę jaglaną możesz zamienić na inną, np. gryczaną.

PYSZNY BUDYŃ JAGLANY

Liczba porcji: 1

Zanim zaczniesz:

Przygotuj blender.

Wykonanie:

- Mleko i wodę wlej do małego garnka i doprowadź do wrzenia. Dodaj suszone owoce.
- Kaszę przesyp na sito i dwukrotnie przepłucz bardzo gorącą wodą, a następnie wsyp do wrzątku.
- Gotuj kaszę pod przykryciem, na najmniejszym ogniu (nie mieszaj i nie podnoś pokrywki) przez 20 minut.
- Do gorącej kaszy wsyp płatki migdałowe i zblenduj całość na gładki krem.

Składniki:

1 szklanka mleka
½ szklanki wody
¼ szklanki kaszy jaglanej
2 suszone morele
opcjonalnie:
1 łyżka płatków migdałowych

Rada:

Jeśli chcesz, by budyń był rzadszy, podczas blendowania dolej wody lub mleka. Ciepłe, ale nie gorące danie możesz dosłodzić, np. miodem.

ZIELONY KOKTAJL WITAMINOWY

Liczba porcji: 2

Wykonanie:

- Owoce obierz ze skórki. Gruszkę i jabłko przekrój na pół, usuń gniazda nasienne. Wszystkie owoce pokrój na małe kawałki.
- Odkrój od natki pietruszki/szpinaku grube łodyżki poniżej liści.
- Przełóż wszystkie składniki do wysokiego naczynia i zblenduj. Jeśli koktajl jest zbyt gęsty, dolej do niego wodę i ponownie wymieszaj. Przelej koktajl do szklanki.

Składniki:

½ pęczka natki pietruszki lub duża garść liści szpinaku
1 dojrzały banan
1 gruszka
½ jabłka lub kiwi
½ szklanki wody

Rada:

Najlepiej smakuje schłodzony.

SYCĄCY KOKTAJL ŚNIADANIOWY

Liczba porcji: 2

Zanim zaczniesz:

Daktyle posiekaj, zalej wodą i mocz przez 10 minut.

Wykonanie:

- Odsącz daktyle. Banana obierz i pokrój na kilka kawałków.
- Do wysokiego naczynia włóż kawałki banana, namoczone daktyle, płatki owsiane, wiórki kokosowe, kakao lub karob. Zalej całość mlekiem i blenduj przez 2-3 minuty. Przelej koktajl do szklanki.

Składniki:

1½ szklanki mleka
1 duży dojrzały banan
3 łyżki płatków owsianych górskich
2 łyżeczki wiórków kokosowych
2 suszone daktyle
1 płaska łyżeczka kakao lub karobu

Rada:

Słodszy smak uzyskasz, dodając miód.

BŁYSKAWICZNY OMLET Z TWAROŻKIEM

Liczba porcji: 2

Zanim zaczniesz:

Przygotuj małą patelnię.

Wykonanie:

- Rozbij jajka do dużego kubka, dodaj twaróg, szczyptę pieprzu i rozbełtaj całość dokładnie widelcem, aby powstała jednolita masa.
- Na małej patelni rozgrzej masło (uważaj, by się nie przypaliło) i wlej masę jajeczną. Poczekaj, aż całość zetnie się od spodu, a następnie delikatnie złóż omlet na pół.
- Smaż na małym ogniu przez chwilę, a następnie odwróć omlet na drugą stronę i smaż jeszcze przez kilkanaście sekund. Podawaj na ciepło z kromką ulubionego pieczywa.

Opcja dla dorosłych:

Omlet możesz doprawić solą i pieprzem.

Składniki:

2 jajka
2 łyżeczki twarogu
1 łyżka masła
szczypta pieprzu

Rada:

Zanim podasz dziecku omlet, upewnij się, że białko się ścięło. Zamiast twarogu do masy jajecznej możesz wsypać posiekany szczypiorek, porwane listki bazylii, małe kawałki pomidora itd.

KAKAOWY OMLET Z BANANEM

Liczba porcji: 4

Zanim zaczniesz:

Przygotuj mikser lub trzepaczkę i 2 głębokie miski.

Składniki:

3 jajka
1 łyżka mleka
1 łyżka płatków zbożowych (np. owsianych)
1 łyżka mąki pszennej
1 banan
1 łyżka oleju kokosowego (lub innego)
1 łyżeczka kakao lub karobu

Wykonanie:

- Banana obierz ze skóry i rozgnieć widelcem.
- Oddziel żółtka od białek, białka ubij na sztywną pianę w głębokiej misce.
- Żółtka przełóż do drugiej miski. Dodaj do nich olej, mleko, rozgniecionego banana, płatki, kakao lub karob, mąkę – i dokładnie wymieszaj.
- Do powstałej masy dodaj pianę z białek i delikatnie wymieszaj całość, by piana nie opadła.
- Smaż na patelni z obu stron.

Opcja dla dorosłych:

Omlet możesz udekorować kleksem bitej śmietany.

Rada:

Omlet przekładamy na drugą stronę za pomocą dużego talerza, przykładając go do patelni, obracając ją do góry dnem, tak by omlet znalazł się na talerzu. Następnie zsuwamy go z talerza ponownie na patelnię i smażymy z drugiej strony. Omlet można podać z owocami, np. dla kontrastu – kwaśnymi, lub polać syropem.

BABECZKI JAJECZNE Z POMIDOREM I BAZYLIĄ

Liczba sztuk: 12

Zanim zaczniesz:

Przygotuj mikser. Foremki do babeczek natłuść masłem. Piekarnik nastaw na 180°C z termoobiegiem.

Składniki:

3 jajka
2 łyżki mąki pszennej
1½ łyżki mleka
ok. 100 g twarogu
1 duży pomidor bez skóry
8 listków bazylii
pieprz
masło do natłuszczenia foremek

Wykonanie:

- Jajka rozbij, oddziel białka od żółtek i ubij białka na sztywną pianę. Do piany stopniowo dodawaj żółtka, mąkę, szczyptę pieprzu oraz mleko. Wymieszaj całość na jednolitą masę.
- Twaróg pokrusz, pomidor przekrój na pół, usuń pestki, a następnie pokrój w małą kostkę, listki bazylii drobno posiekaj.
- Do każdej foremki nałóż łyżeczkę pokruszonego twarogu, kilka kostek pomidora, kilka posiekanych listków bazylii. Zalej foremki do pełna masą jajeczną i wsuń na blaszce na środkowy poziom.
- Zapiekaj przez ok. 12-15 minut, aż masa jajeczna się zrumieni. Podawaj na ciepło z pieczywem.

Opcja dla dorosłych:

Przed wlaniem do foremek część masy możesz doprawić solą.

Rada:

Do przygotowania babeczek możesz wykorzystać również inne produkty, np. szpinak, czerwoną paprykę, zielony groszek, szynkę itd. Babeczki smakują równie dobrze na słodko, np. z dodatkiem kawałków banana.

JAJECZNICA Z PŁATKAMI OWSIANYMI

Liczba porcji: 3

Zanim zaczniesz:

Posmaruj patelnię olejem.

Wykonanie:

- Szczypiorek i koperek drobno posiekaj.
- Na rozgrzaną patelnię wbij jajka. Dodaj do nich płatki owsiane, oregano, szczypiorek i koperek.
- Mieszaj jajecznicę, aż się zetnie.

Opcja dla dorosłych:

Jajecznicę możesz doprawić solą i pieprzem.

Składniki:

3 jajka
1 łyżka płatków owsianych
2 gałązki koperku
2 łodyżki szczypiorku
1 łyżeczka suszonego oregano
1 łyżeczka oleju rzepakowego (lub innego) do smażenia

Rada:

Jeśli dziecko jest jeszcze malutkie i nie chcesz podawać mu smażonych potraw, możesz przygotować jajecznicę na parze. W tym celu zagotuj wodę w małym garnku, oprzyj o niego żaroodporną miseczkę, wlej masę jajeczną i mieszaj w miarę jej ścinania się.

TOST JAJECZNY Z SEZAMEM

Liczba porcji: 2

Wykonanie:

- Do głębokiego talerza wbij jajko, dodaj mleko i sezam, a następnie całość wymieszaj rózgą.
- Zamocz pieczywo w masie jajecznej z dwóch stron i poczekaj, aż ją wchłonie.
- Na patelni rozgrzej niewielką ilość tłuszczu i połóż nasączone pieczywo. Obsmażaj z dwóch stron, aż się zrumieni. Przed podaniem dziecku upewnij się, że jajko porządnie się ścięło.

Składniki:

1 jajko
1 płaska łyżeczka sezamu
1 łyżka mleka
2 kromki chleba
masło klarowane lub olej rzepakowy (do smażenia)

Opcja dla dorosłych:

Masę jajeczną dopraw solą przed namoczeniem pieczywa.

Rada:

Tosty możesz przygotować zarówno na słodko (dodając do masy jajecznej pół rozgniecionego banana), jak i w wersji wytrawnej (dodając posiekany szczypiorek i pieprz lub zioła). Tosty możesz przygotować również w piekarniku. Ułóż nasączone kromki chleba na blaszce wyłożonej papierem do pieczenia i zapiekaj w 180 °C z termoobiegiem na środkowym poziomie przez 10 minut.

PUSZYSTE PANKEJKI Z KASZKI MANNY

Liczba sztuk: 15

Zanim zaczniesz:

Kaszkę zalej mlekiem, wymieszaj i odstaw na 20 minut do napęcznienia. Przygotuj patelnię i mikser.

Wykonanie:

- Oddziel białko od żółtka i ubij na pianę. Banana obierz ze skóry i rozgnieć widelcem na papkę.
- W misce wymieszaj napęczniałą kaszkę, banana lub syrop, żółtko oraz rodzynki. Dodaj ubite białko i ponownie wymieszaj.
- Rozgrzej patelnię i nakładaj łyżką niewielkie porcje ciasta.
- Smaż na średnim ogniu bez dodatku tłuszczu tylko do momentu zrumienienia z obu stron.
- Podawaj na ciepło lub na zimno.

Składniki:

½ szklanki kaszki manny błyskawicznej
½ szklanki mleka
1 jajko
1 bardzo dojrzały banan lub 1 łyżka syropu daktylowego (s. 202)
opcjonalnie: łyżka rodzynek

Rada:

Placuszki możesz polać syropem klonowym.
Smak ciasta możesz wzbogacić, dodając miękkie owoce, np. maliny lub borówki albo pokrojone w kostkę jabłko lub brzoskwinię.

BŁYSKAWICZNE NALEŚNIKI BANANOWE

Liczba sztuk: 5

Zanim zaczniesz:

Przygotuj patelnię do naleśników. Masło rozpuść i ostudź. Banana obierz i rozgnieć widelcem na papkę.

Wykonanie:

- W misce połącz: mleko, rozbełtane jajko, banana i masło. Wymieszaj rózgą. Dodaj mąkę i cynamon. Ponownie wszystko wymieszaj.
- Patelnię lekko natłuść i rozgrzej. Nalej porcję ciasta chochelką i rozprowadź po całej szerokości patelni. Obsmażaj naleśniki z dwóch stron do momentu, aż ciasto się zetnie, a naleśniki się zrumienią.
- Podawaj na ciepło, zwinięte w rulon lub złożone w dowolny sposób.

Opcja dla dorosłych:

Spakowane naleśniki mogą być doskonałą przekąską w pracy.

Składniki:

¾ szklanki pełnoziarnistej mąki pszennej
1 szklanka mleka
1 jajko
1 mały dojrzały banan
⅓ łyżeczki cynamonu
2 łyżeczki masła
olej rzepakowy (lub inny do smażenia)

Rada:

Jeśli ciasto będzie za rzadkie – dodaj mąki, jeśli za gęste – mleka.

MIGDAŁOWA KANAPKA Z BANANOWYM TWAROŻKIEM

Liczba porcji: 4

Zanim zaczniesz:

Przygotuj wysoką miskę i małą patelnię.

Wykonanie:

- Do miski rozbij jajka, dodaj mąkę, amarantus, kakao lub karob, migdały i olej. Wymieszaj wszystko dokładnie.
- Na rozgrzanej patelni smaż gruby placek do zrumienienia z obu stron. Przełóż go na talerz i przekrój w poprzek, jak bułkę.
- Przygotuj nadzienie: przełóż do miseczki twaróg i banana. Widelcem rozgnieć składniki na gładką masę.
- Posmaruj jedną część placka grubą warstwą nadzienia, a następnie przykryj go drugą częścią, lekko dociskając.

Składniki:

2 jajka
2 płaskie łyżki mąki pszennej
1 łyżka amarantusa ekspandowanego
1 płaska łyżka kakao lub karobu
1 łyżka zmielonych migdałów lub płatków migdałowych
½ łyżki oleju kokosowego
2 łyżki twarogu
½ banana

Rada:

Jeśli nie masz małej patelni, usmaż placek na dużej, wówczas będzie cieńszy, a następnie przekrój go na pół, posmaruj jedną część nadzieniem i przykryj drugą.

JOGURT OWOCOWY Z EKSPANDOWANYMI ZBOŻAMI

Liczba porcji: 1

Zanim zaczniesz:

Większe owoce pokrój w kostkę, mniejsze przepołów.

Wykonanie:

- Przełóż jogurt do miseczki, dodaj zboża i pokrojone wybrane owoce.
- Wymieszaj i posyp porwanymi listkami mięty.

Opcja dla dorosłych:

Jogurt można przełożyć do pojemniczka i zabrać na drugie śniadanie do pracy.

Składniki:

150 ml jogurtu naturalnego **(s. 199)**
3 łyżki wybranych zbóż ekspandowanych (np. gryka, amarantus)
½ szklanki owoców (np. pokrojona nektarynka, truskawki, borówki)
opcjonalnie: kilka listków świeżej mięty

Rada:

Możesz użyć dowolnych owoców, najlepiej sezonowych.

WANILIOWY RYŻ Z JABŁKIEM I RODZYNKAMI

Liczba porcji: 2

Zanim zaczniesz:

Wypłucz ryż w zimnej wodzie, obierz jabłko.

Wykonanie:

- Do garnka wlej wodę i mleko, zagotuj, a następnie wsyp ryż i rodzynki. Przetnij wzdłuż laskę wanilii i nożem zeskrob ziarenka, a następnie przełóż je do garnka razem z pustą laską. Gotuj na niewielkim ogniu pod przykryciem ok. 15 minut, aż ryż będzie miękki.
- Zetrzyj jabłko na grubych oczkach i dodaj je do ryżu 5 minut przed końcem gotowania, zamieszaj.
- Przed podaniem wyjmij laskę wanilii i posyp ryż szczyptą cynamonu.

Opcja dla dorosłych:

Ryż można dosłodzić, np. syropem daktylowym.

Składniki:

½ szklanki ryżu
1 szklanka mleka
½ szklanki wody
½ laski wanilii
1 łyżka rodzynek
1 jabłko
szczypta cynamonu

Rada:

Zamiast jabłka możesz użyć gruszki. Dodaj wówczas szczyptę mielonych goździków.

PŁATKI ZBOŻOWE Z OWOCAMI

Liczba porcji: 2

Zanim zaczniesz:

Zagotuj wodę lub mleko.

Wykonanie:

- Wsyp do garnka wybrane płatki i gotuj na małym ogniu przez ok. 10 minut, aż całkiem zmiękną i wchłoną płyn.
- Banana lub gruszkę obierz i rozgnieć na papkę lub pokrój w kostkę.
- Połącz ciepłe płatki z owocem i posyp amarantusem.

Składniki:

1 szklanka wody lub mleka
4 czubate łyżki płatków owsianych/orkiszowych/jęczmiennych
½ banana lub gruszki
opcjonalnie:
1 łyżka amarantusa ekspandowanego

Rada:

Płatki możesz podać na wiele sposobów, wykorzystując dostępne sezonowe lub mrożone owoce: maliny, truskawki, brzoskwinie, kiwi, jagody itp. Płatki warto wzbogacić również takimi dodatkami jak jogurt naturalny, zmielone pestki dyni, łuskany słonecznik, mak, a także suszone owoce, płatki migdałowe i wiórki kokosowe, imbir, kardamon, cynamon.

SŁODKA JAGLANKA Z OWOCAMI

Liczba porcji: 2

Zanim zaczniesz:

Posiekaj suszone owoce. Przygotuj sitko i mały garnek z pokrywką.

Wykonanie:

- Wodę połącz z mlekiem i doprowadź do wrzenia. Kaszę przesyp na sito i wypłucz dwukrotnie gorącą wodą. Wrzuć do wrzątku razem z suszonymi owocami.
- Gotuj pod przykryciem na bardzo małym ogniu, ok. 18 minut, aż do całkowitego wchłonięcia płynu.
- Ciepłą kaszę podaj z wybranymi owocami, np. startym jabłkiem z cynamonem, gruszką w kostkach, kawałkami truskawek.

Opcja dla dorosłych:

Więcej inspiracji na łączenie kaszy z innymi produktami znajdziesz na s. 206.

Składniki:

½ szklanki kaszy jaglanej
1 szklanka wody
½ szklanki mleka
2 suszone morele lub 2 suszone daktyle
ulubione świeże owoce, np. maliny, borówki, truskawki, gruszka, jabłko

Rada:

Kaszę jaglaną możesz wykorzystać do dań zarówno na słodko, jak i wytrawnie, np. dodając jogurt i owoce możesz przygotować lody.

BUŁKI JAGLANE

Liczba sztuk: 10

Zanim zaczniesz:

Wypłucz kaszę w gorącej wodzie. Przygotuj dużą, wysoką miskę.

Składniki:

2 ½ szklanki mąki pszennej
¼ szklanki kaszy jaglanej
½ szklanki wody
25 g świeżych drożdży lub 7 g drożdży instant
¾ szklanki ciepłej wody
białko do posmarowania bułek
opcjonalnie:
½ łyżeczki cukru

Wykonanie:

- Ugotuj kaszę w ½ szklanki wody – pod przykryciem, na najmniejszym ogniu, aż kasza całkowicie wchłonie wodę (ok. 18 minut). Ostudź.
- Do ¾ szklanki ciepłej wody dodaj pokruszone drożdże i cukier (nie jest on konieczny) – wymieszaj do rozpuszczenia. Drożdże instant wystarczy wymieszać z mąką.
- Letnią kaszę przełóż do dużej miski, dodaj mąkę, wodę z drożdżami, wymieszaj, a następnie wyrabiaj ciasto, aż będzie elastyczne. Przykryj ściereczką i odstaw w ciepłe miejsce na ok. 30 minut, aby podwoiło objętość.
- Odrywaj kawałki ciasta i formuj niewielkie bułeczki. Układaj je na blaszce w niewielkich odstępach. Posmaruj bułeczki za pomocą pędzelka rozbełtanym białkiem.
- Piecz bułki w 200 °C z włączonym termoobiegiem przez 20 minut, na środkowym poziomie piekarnika.

Rada:

Do bułeczek możesz dodać wybrane zioła lub suszone owoce. Bułki możesz posypać dowolną posypką, np. makiem, czarnuszką lub płatkami owsianymi.

CHRUPIĄCE DYNIOWE BUŁECZKI

Liczba sztuk: 10

Zanim zaczniesz:

Jeśli używasz świeżych drożdży, zrób rozczyn: pokrusz drożdże i przełóż do kubka, odlej ¼ szklanki letniego mleka i dokładnie wymieszaj z drożdżami. Dodaj 2 łyżki mąki (ewentualnie dosyp ⅓ łyżeczki cukru – nie jest to konieczne), wymieszaj i przykryj kubek. Odstaw w ciepłe miejsce na ok. 30 minut do wyrośnięcia. Pozostałą mąkę przesiej przez sito. Blachę wyłóż papierem do pieczenia.

Wykonanie:

- Do dużej miski wsyp: przesianą mąkę, cynamon, pestki dyni i drożdże instant (jeśli takich używasz). Wymieszaj suche składniki i zrób małe zagłębienie pośrodku.
- W powstały dołek wlej mleko, żółtka i puree z dyni. Jeśli używasz świeżych drożdży, teraz wlej rozczyn.
- Wymieszaj całość drewnianą łyżką. Wyrabiaj ciasto ok. 10 minut, aż będzie elastyczne, zwarte i gładkie.
- Przełóż ciasto do miski i przykryj ściereczką. Odstaw w ciepłe miejsce na ok. 40-50 minut (aż ciasto podwoi swoją objętość).
- Podziel ciasto na 10 części i z każdej uformuj bułeczkę. Ułóż bułki na blaszce w odstępach ok. 5 cm.
- Białka rozbełtaj widelcem. Posmaruj wierzch bułek białkiem, a następnie posyp makiem lub sezamem.
- Przygotowane bułki piecz 18-20 min. w 200°C z włączonym termoobiegiem (na środkowym poziomie piekarnika). Po 15 minutach skontroluj stopień zrumienienia bułek.

Składniki:

2 szklanki mąki orkiszowej
¾ szklanki puree z dyni (s. 203)
25 g świeżych drożdży lub 7 g drożdży instant
¾ szklanki letniego mleka
½ łyżeczki cynamonu
2 jajka (osobno żółtka i białka)
1 łyżka pestek dyni
2 łyżeczki maku lub sezamu
opcjonalnie:
⅓ łyżeczki cukru

Rada:

Do wyrobienia ciasta możesz użyć miksera z hakami. Mąkę orkiszową możesz zamienić na pszenną lub wymieszać dwa, trzy rodzaje ulubionych mąk.

Rozdział 3
Chodźmy
na spacer

Dziecko na spacerze rozpiera energia. Bieganie za piłką, zjeżdżanie na zjeżdżalni, huśtawka, piaskownica, karuzela, drabinki... Można się naprawdę zmęczyć. Spacerowe przekąski nie muszą się ograniczać do owoców i kukurydzianych chrupek – do pudełeczka możesz zapakować warzywne placuszki albo pełnoziarniste domowe batoniki. Koniecznie podwójną porcję, w końcu rodzicowi też się coś smacznego należy! Nie zapomnij jedynie zabrać ze sobą wody. Te niebrudzące przekąski możesz też przygotować na czas podróży lub dłuższej wyprawy do sklepu.

PUSZYSTE BISZKOPCIKI Z BAKALIAMI

Liczba sztuk: 12

Zanim zaczniesz:

Rodzynki zalej wodą i odstaw na 10 minut, a następnie odsącz i drobno posiekaj. Piekarnik nastaw na 180 °C z termoobiegiem. Blachę wyłóż papierem do pieczenia. Przygotuj mikser.

Wykonanie:

- Mąkę przesiej przez sito. Jajka umyj i oddziel żółtka od białek. Przełóż białka do wysokiej miski i ubij mikserem na sztywną pianę.
- Do ubitych białek dodawaj kolejno żółtka i dalej mieszaj mikserem na wolnych obrotach. Dodaj syrop i ostatni raz wymieszaj mikserem. Następnie powoli wsypuj przesianą mąkę i mieszaj delikatnie łyżką, aby masa nie straciła puszystości.
- Dodaj posiekane rodzynki do masy i ponownie zamieszaj łyżką.
- Nabieraj ciasto łyżką (ok. ¾ objętości łyżki) i nakładaj porcje na papier do pieczenia. Zachowuj niewielkie odstępy, ponieważ biszkopty urosną podczas pieczenia.
- Piecz ok. 10-12 minut na środkowym poziomie piekarnika. Kontroluj stopień zrumienienia.

Składniki:

2 jajka
2 czubate łyżki mąki pszennej lub orkiszowej
1 łyżka syropu daktylowego (s. 202)
3 łyżki rodzynek

Rada:

Do przygotowania biszkoptów możesz również użyć innych suszonych owoców.

BATONY MUSLI

Liczba sztuk: 20

Zanim zaczniesz:

Piekarnik nastaw na 180 °C z termoobiegiem. Małą formę (ok. 20x26 cm) lub blachę wyłóż papierem do pieczenia.

Wykonanie:

- Do dużej miski przesyp suche składniki i wymieszaj je łyżką.
- Dodaj rozbełtane jajka, miód i olej. Dokładnie wymieszaj z suchymi składnikami.
- Przełóż masę na blachę lub formę do pieczenia i rozprowadź, dociskając łyżką, tworząc kwadrat o boku ok. 20 cm i grubości ok. 2 cm.
- Wstaw blachę/formę na środkowy poziom piekarnika. Piecz przez ok. 15-18 minut do zrumienienia.
- Lekko przestudzone ciasto pokrój na prostokątne batony i przełóż do suchego pojemnika.

Składniki:

½ szklanki płatków owsianych górskich
½ szklanki amarantusa ekspandowanego
⅓ szklanki suszonej żurawiny
⅓ szklanki rodzynek
¼ szklanki sezamu
¼ szklanki siemienia lnianego
¼ szklanki słonecznika łuskanego
2 jajka
2 łyżki oleju kokosowego lub rzepakowego
2 łyżki miodu

Rada:

Miód możesz zamienić na np. syrop klonowy lub daktylowy (s. 202).

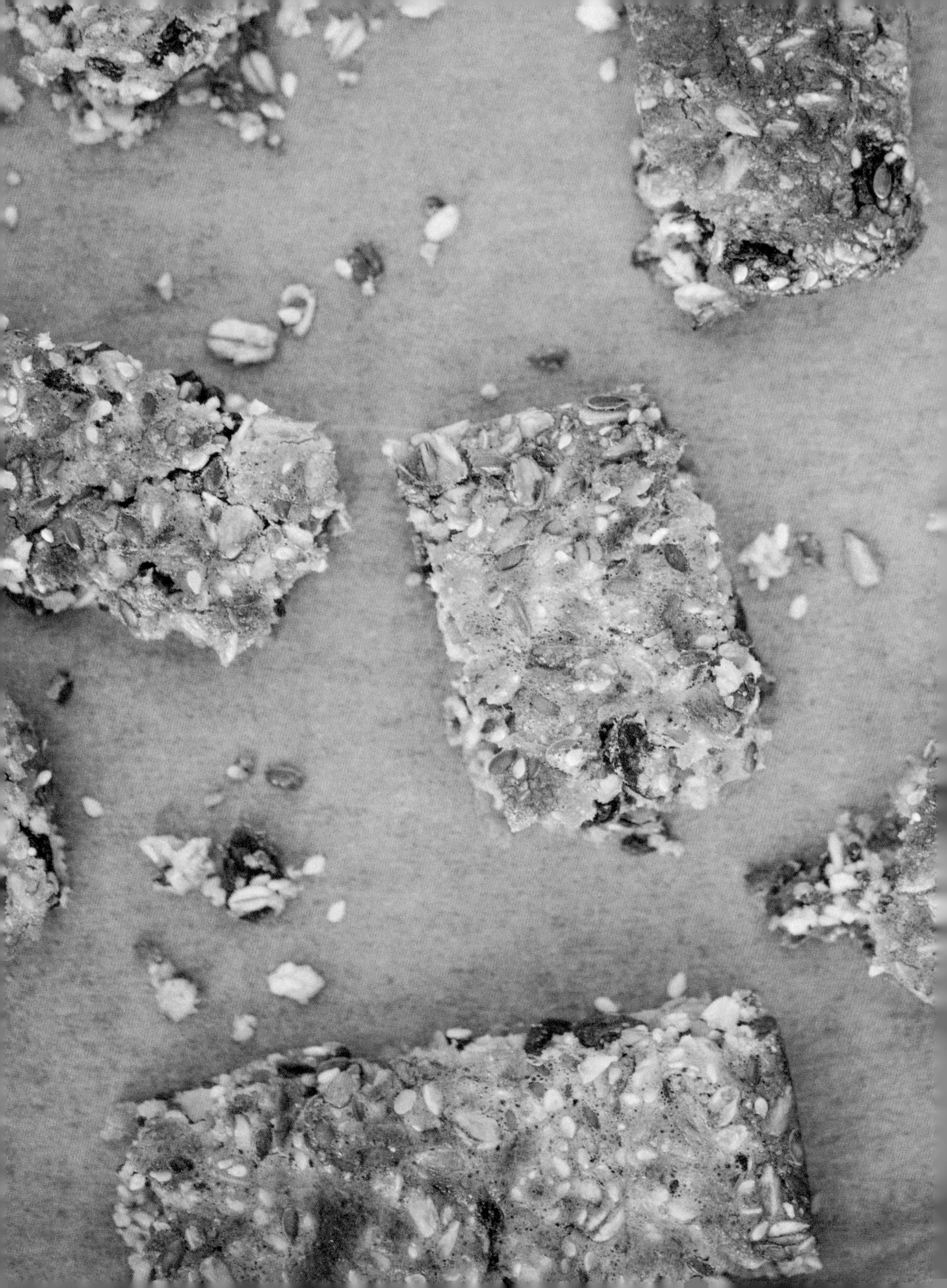

CIASTECZKA SEZAMOWE

Liczba sztuk: 8

Zanim zaczniesz:

Rozgrzej suchą patelnię i wsyp na nią sezam. Praż przez kilka minut na małym ogniu, aż ziarna się zrumienią. Piekarnik nastaw na 170 °C z termoobiegiem. Blachę wyłóż papierem do pieczenia.

Wykonanie:

- Banana obierz i rozgnieć widelcem na papkę.
- Płatki zbożowe i sezam połącz z bananem i miodem. Dokładnie wymieszaj całość.
- Za pomocą łyżeczki nabieraj porcje ciasta i przekładaj na blachę, lekko rozpłaszczając. Zachowaj niewielkie odstępy między kolejnymi porcjami.
- Piecz ciasteczka przez ok. 15 minut, kontrolując stopień zrumienienia.

Składniki:

⅓ szklanki sezamu
⅓ szklanki płatków orkiszowych lub owsianych
1 duży dojrzały banan
opcjonalnie:
łyżeczka miodu

Rada:

Upieczone, zimne ciasteczka przechowuj maksymalnie 2 dni w szczelnie zamkniętym pojemniku.

PLACUSZKI CYNAMONOWO-JAGLANE

Liczba sztuk: 25

Zanim zaczniesz:

Daktyle posiekaj na drobne kawałki. Przygotuj mikser i blender.

Wykonanie:

- Kaszę przesyp na suchą patelnię i praż, potrząsając patelnią, aż poczujesz orzechowy zapach. Zdejmij patelnię z ognia i wypłucz kaszę gorącą wodą.
- W garnku zagotuj 1 szklankę wody i 1 szklankę mleka. Do wrzątku wsyp posiekane daktyle i kaszę. Gotuj pod przykryciem na najmniejszym ogniu przez 18 minut (nie podnoś pokrywki i nie mieszaj kaszy podczas gotowania). Pozostaw kaszę w garnku do ostygnięcia, a następnie zblenduj.
- Do ostudzonej kaszy dodaj rozbełtane jajko, cynamon, ¾ szklanki mleka, mąkę i olej. Całość dokładnie wymieszaj mikserem.
- Patelnię lekko natłuść olejem i rozgrzej.
- Małą łyżeczką nakładaj niewielkie porcje ciasta, tworząc grube placuszki. Obsmażaj na średnim ogniu z dwóch stron do zrumienienia. Kolejne placuszki możesz smażyć na suchej patelni.

Składniki:

½ szklanki kaszy jaglanej
1 szklanka wody
1¾ szklanki mleka
1 jajko
1 płaska łyżeczka cynamonu
¾ szklanki mąki pszennej (np. pełnoziarnistej)
5 suszonych daktyli
2 łyżki oleju rzepakowego
olej kokosowy (lub inny) do smażenia

Rada:

Jeśli preferujesz wyrazisty, słodki smak, dodaj do ciasta więcej suszonych owoców lub osłódź je, np. miodem.

CZEKOLADOWE NALEŚNIKI Z TWAROGIEM BANANOWYM

Liczba sztuk: 8

Zanim zaczniesz:

Przygotuj mikser i patelnię do naleśników.

Wykonanie:

- Do dużej i wysokiej miski przelej mleko, dodaj do niego jajko, kakao lub karob, mąkę, olej i zmiksuj wszystko dokładnie.
- Na rozgrzanej patelni wysmarowanej olejem smaż cienkie naleśniki.
- Przygotuj nadzienie: w miseczce rozgnieć widelcem banana, dodaj do niego twaróg i jogurt – wymieszaj dokładnie lub zmiksuj. Jeszcze ciepłe naleśniki smaruj cienko serowym nadzieniem i zwijaj w taki sposób, by nie wypadało, gdy dziecko będzie jadło.

Opcja dla dorosłych:

Spakowane do pojemnika mogą być smacznym posiłkiem do pracy.

Składniki:

Ciasto:
2 szklanki mleka
1 szklanka mąki pszennej
1 jajko
1 łyżka kakao lub karobu
1 łyżka oleju kokosowego lub innego plus do smażenia

Nadzienie:
250 g twarogu
1 łyżka jogurtu naturalnego (s. 199)
1 banan

Rada:

Jeśli uznasz, że ciasto na naleśniki jest za rzadkie – dodaj mąki, jeśli za gęste – dolej trochę mleka.
Naleśniki możesz polać syropem daktylowym (s. 202).

SŁODKIE PLACKI TWAROGOWE

Liczba sztuk: 10

Zanim zaczniesz:

Namocz rodzynki przez 10 minut w wodzie i odsącz.

Wykonanie:

- Obranego banana i twaróg rozgnieć widelcem, dodaj jajko, mąkę, rodzynki i dokładnie wymieszaj wszystko łyżką.
- Rozgrzej patelnię posmarowaną olejem i łyżką nakładaj porcje masy, formując placki. Smaż do zrumienienia z obu stron.

Składniki:

1 jajko
3 łyżki mąki pszennej
4 łyżki twarogu
1 banan
1 łyżka rodzynek
olej kokosowy lub inny do smażenia

Rada:

Do placków możesz dodać ziarenka z ¼ laski wanilii i podać polane wybranym syropem.

PLACKI PIETRUSZKOWE

Liczba sztuk: 12

Wykonanie:

- Pietruszkę zetrzyj na najdrobniejszych oczkach. Przełóż do miski, dodaj mąkę, jajko, jogurt, 1 łyżkę oleju i przyprawy.
- Dokładnie wymieszaj ciasto, by składniki się połączyły.
- Rozgrzej patelnię posmarowaną olejem i łyżką nakładaj porcje masy, formując placki. Smaż do zrumienienia z obu stron.

Składniki:

2 pietruszki
4 łyżki mąki pszennej
1 jajko
1 łyżka jogurtu naturalnego (s. 199)
½ łyżeczki cynamonu
szczypta kardamonu
szczypta imbiru w proszku
1 łyżka oleju rzepakowego do smażenia

PRALINKI DAKTYLOWO-ORZECHOWE

Liczba sztuk: 15

Zanim zaczniesz:

Daktyle posiekaj i zalej wodą na 20 minut, a następnie odsącz i zmiksuj. Piekarnik nastaw na 150 °C z termoobiegiem. Blachę wyłóż papierem do pieczenia.

Wykonanie:

- Banana obierz i rozgnieć widelcem na papkę.
- Połącz wszystkie składniki i wymieszaj bardzo dokładnie (np. mikserem lub rękoma), aby powstała zwarta masa.
- Formuj małe kuleczki i układaj na blasze. Piecz przez 15 minut, podawaj po ostygnięciu.

Opcja dla dorosłych:

Zamiast mielić orzechy na proszek, posiekaj je na kawałki. Pralinki będą wtedy bardziej chrupiące, a orzechy wyczuwalne podczas jedzenia.

Składniki:

1 szklanka preparowanej kaszy jaglanej
½ szklanki amarantusa ekspandowanego
1 mały dojrzały banan
1 płaska łyżeczka kakao lub karobu
5 suszonych daktyli
¼ szklanki mielonych migdałów albo orzechów laskowych lub włoskich

Rada:

Pralinki przed pieczeniem możesz obtoczyć w wiórkach kokosowych lub zmielonych orzechach.

KRAKERSY ZIOŁOWE

Liczba sztuk: 15

Zanim zaczniesz:

Kaszę przepłucz gorącą wodą, a następnie wsyp do wrzątku i gotuj pod przykryciem na najmniejszym ogniu (nie podnosząc pokrywki) przez 18 minut. Ugotowaną kaszę przełóż do miski i pozostaw do ostygnięcia. Przygotuj wałek do ciasta i arkusz papieru do pieczenia o długości mniej więcej 60 cm.

Wykonanie:

- Lekko przestudzoną kaszę dokładnie wymieszaj z rozbełtanym jajkiem, 2 łyżkami mąki, oliwą i przyprawami, tak, by tworzyły jednolitą masę. Jeśli masa jest bardzo klejąca, dodaj odrobinę mąki i ponownie wymieszaj. Uformuj kulę.
- Na połowie arkusza papieru połóż kulę z ciasta i przykryj ją drugą częścią arkusza. Spłaszcz lekko rękoma masę pod papierem, a następnie rozwałkuj ciasto przez papier na grubość ok. 5 mm i ponownie rozłóż arkusz papieru. Odetnij zbędną część papieru, a ciasto na drugiej części arkusza przełóż na blachę do pieczenia.
- Rozbełtaj białko i pędzelkiem rozsmaruj je delikatnie na powierzchni ciasta. Posyp sezamem i wstaw do nagrzanego do 180 °C piekarnika z termoobiegiem. Piecz przez 20 minut na środkowym poziomie.
- Wyjmij ciasto z piekarnika. Jeszcze ciepłe (ale nie gorące) pokrój na kwadraty o boku ok. 4 cm.

Opcja dla dorosłych:

Porcję ciasta na krakersy dla dorosłych możesz doprawić solą i większą ilością ulubionych przypraw.

Składniki:

½ szklanki kaszy jaglanej
1 ½ szklanki wody
2-3 łyżki mąki kukurydzianej
1 jajko
1 białko do posmarowania
2 łyżki oliwy
1 łyżka sezamu
1 łyżeczka curry w proszku
½ łyżeczki suszonego tymianku
½ łyżeczki suszonej bazylii
½ łyżeczki słodkiej papryki w proszku

Rada:

Przyprawy do krakersów możesz dowolnie modyfikować.

OSTRÓWEK
Komandoria

BISZKOPCIKI WARZYWNE

Liczba sztuk: 3

Zanim zaczniesz:

Obierz warzywa. Przygotuj głęboką miskę, tarkę i trzepaczkę.

Wykonanie:

- Warzywa zetrzyj na najdrobniejszych oczkach.
- Oddziel żółtka od białek. Białka ubij na bardzo sztywną pianę.
- Dodaj do piany żółtka i olej, następnie wsyp mąkę i delikatnie wymieszaj łyżką. Na koniec dodaj warzywa i szczyptę curry i ponownie delikatnie wymieszaj.
- Na rozgrzaną dużą patelnię z olejem wylej masę i smaż placek z obu stron do zrumienienia.
- Po zdjęciu biszkoptu z patelni wykrawaj z niego dowolne kształty – np. foremkami do ciasteczek.

Składniki:

2 jajka
2 łyżki mąki pszennej
1 łyżka amarantusa ekspandowanego (możesz go zastąpić dodatkową łyżką mąki)
½ małej marchewki
½ małej pietruszki
¼ czerwonej papryki
szczypta curry
1 łyżka oleju rzepakowego lub innego do smażenia

Opcja dla dorosłych:

Ciasto biszkoptowe możesz przyprawić większą ilością curry, solą i pieprzem.

Rada:

Biszkopt przekładamy na drugą stronę za pomocą dużego talerza, przykładając go do patelni, obracając ją do góry dnem tak, by placek znalazł się na talerzu. Następnie zsuwamy biszkopt z talerza ponownie na patelnię i smażymy z drugiej strony.

BROKUŁY W CIEŚCIE NALEŚNIKOWYM

Liczba porcji: 3

Zanim zaczniesz:

Brokuł podziel na niewielkie różyczki, umyj i osusz. Blachę wyłóż papierem do pieczenia.

Składniki:

1 brokuł
½ szklanki mleka
4 łyżki mąki pszennej
1 jajko
½ łyżeczki słodkiej papryki w proszku
1 ząbek czosnku

Wykonanie:

- Do gotującej się wody włóż różyczki brokułu. Gotuj je ok. 4 minut, a następnie odcedź i wystudź.
- W misce wymieszaj mleko, jajko i mąkę. Dodaj do ciasta paprykę, wyciśnięty ząbek czosnku i wymieszaj.
- Maczaj różyczki w cieście, pozbądź się jego nadmiaru, lekko potrząsając, i układaj na blaszce.
- Zapiekaj przez 10 minut w temperaturze 200°C z termoobiegiem na środkowym poziomie piekarnika.

Opcja dla dorosłych:

Ciasto możesz doprawić solą, pieprzem i szczyptą ostrej papryki w proszku.

Rada:

Jeśli ciasto będzie za rzadkie, dodaj do niego mąki.
Brokuły możesz podać z sosem jogurtowo-koperkowym (s. 199).

MUFFINKI WARZYWNE

Liczba sztuk: 12

Zanim zaczniesz:

Ugotuj warzywa i pokrój je w kostkę. Roztop masło w małym garnku i ostudź. Przygotuj 2 głębokie miski i foremki do muffinek. Rozgrzej piekarnik do 200 °C z termoobiegiem.

Wykonanie:

- W jednej z misek wymieszaj suche produkty (mąkę, sodę i proszek), a w drugiej mokre (mleko, jajko i roztopione masło).
- Połącz zawartość obu misek i wymieszaj wszystko łyżką. Dodaj przygotowane warzywa i wyciśnięty przez praskę czosnek – wymieszaj całość.
- Przekładaj ciasto do foremek do ¾ ich wysokości i piecz 20 minut na środkowym poziomie piekarnika.

Składniki:

2 szklanki pełnoziarnistej mąki pszennej
1 jajko
1 szklanka mleka
100 g masła
1 łyżeczka proszku do pieczenia
½ łyżeczki sody
½ szklanki pokrojonych w kostkę wybranych warzyw (np. marchewka, pietruszka, fasolka szparagowa, papryka)
2 ząbki czosnku

Opcja dla dorosłych:

Ciasto możesz doprawić solą i pieprzem.

Rada:

Istotne jest, by nie przesadzić z ilością warzyw. Gdy ciasto jest za ciężkie, może wyjść z niego zakalec.

MUFFINKI O SMAKU PIZZY

Liczba sztuk: 8

Zanim zaczniesz:

Nagrzej piekarnik do 190°C z termoobiegiem. Przygotuj foremki do muffinek.

Wykonanie:

- Mąkę, proszek do pieczenia i starty ser wymieszaj w misce.
- Do drugiej miski wlej mleko, oliwę, dodaj jajka i wymieszaj rózgą.
- Połącz ze sobą suche i mokre składniki – łyżką lub mikserem.
- Paprykę i oliwki pokrój w drobną kostkę, zioła posiekaj lub porwij i dodaj wszystko do ciasta. Wymieszaj.
- Nakładaj ciasto do foremek do ¾ ich wysokości. Posyp wierzch serem i papryką. Piecz na środkowym poziomie piekarnika przez 20-25 minut. Kontroluj stopień zrumienienia.

Opcja dla dorosłych:

Ciasto możesz doprawić solą, pieprzem i ostrą papryką w proszku.

Składniki:

1 ½ szklanki mąki pszennej
2 jajka
¼ szklanki oliwy
1 szklanka mleka
1 ½ łyżeczki proszku do pieczenia
½ szklanki tartego sera żółtego lub koziego
8-10 zielonych oliwek
¼ czerwonej papryki
3 gałązki oregano
2 gałązki bazylii
do posypania: słodka papryka w proszku i 2 łyżki drobno startego żółtego sera

Rada:

Zamiast papryki możesz użyć suszonych pomidorów.

WŁOSKIE PLACKI DROŻDŻOWE (FOCACCIA)

Liczba sztuk: 4

Zanim zaczniesz:

Przygotuj dużą blachę. Posmaruj ją oliwą. Pokrój drobno oliwki i suszone pomidory.

Wykonanie:

- Rozpuść drożdże z cukrem (nie jest on konieczny) w letniej wodzie (drożdże instant wystarczy wymieszać z mąką) i odstaw na chwilę. Do dużej miski przesiej mąkę. Zrób w niej dołek, wlej do niego wodę z drożdżami i 1 łyżkę oleju. Wymieszaj ręką.
- Dodaj do ciasta oliwki i pomidory i wyrabiaj (ręką lub mikserem) tak długo, aż będzie pulchne i gładkie. Przykryj je ściereczką i odstaw na ok. 30 minut w ciepłe miejsce, by wyrosło.
- Po tym czasie wyjmij ciasto z miski, podziel je na 4 części i uformuj z nich placki o grubości 2 cm. Połóż je na blaszce i posmaruj lekko oliwą.
- Piecz placki na środkowym poziomie piekarnika w 230 °C z termoobiegiem przez 10-15 minut.

Opcja dla dorosłych:

Placki możesz doprawić ostrą papryką w proszku i podać posypane gruboziarnistą solą.

Składniki:

1 ½ szklanki mąki pszennej
½ szklanki letniej wody
15 g świeżych drożdży
lub 7 g drożdży instant
1 łyżka oleju rzepakowego
2 suszone pomidory
4 oliwki
oliwa do posmarowania
opcjonalnie:
szczypta cukru

Rada:

Placki możesz podać skropione oliwą i posypane oregano i bazylią.

MINITORTILLE

Liczba sztuk: 24

Zanim zaczniesz:

Przygotuj stolnicę, wałek i patelnię. Wypłucz soczewicę, obierz cebulę.

Wykonanie:

- Soczewicę wrzuć do wrzątku i gotuj pod przykryciem ok. 15 minut, by wchłonęła całą wodę.
- Cebulę posiekaj drobno i zeszklij na oleju. Dodaj do soczewicy wraz z olejem. Całość zblenduj na gładką masę.
- Pomidory drobno posiekaj, dodaj do nadzienia i wymieszaj.
- Mąkę wysyp na stolnicę. Zrób w niej dołek, wlej do niego olej oraz powoli wlewaj gorącą wodę. Mieszaj całość łyżką, a następnie zagniataj ciasto ok. 5 minut do momentu, aż stanie się elastyczne. Przykryj je ściereczką i odstaw na parę minut, by „odpoczęło".
- Wyrobione ciasto podziel na 8 części i formuj z nich równe kulki. Każdą rozwałkuj jak najcieniej na placek troszkę większy niż średnica patelni, na której będzie smażony.
- Placki podpiekaj na suchej patelni z obu stron, pilnując, by się nie przypaliły (ok. 1 minuty na stronę). Nie zwracaj uwagi na powstające bąble. Gotowe placki posmaruj nadzieniem i ciasno zwiń. Przekrój pod skosem na 3 części.

Składniki:

Placki:
1 ½ szklanki mąki pszennej
160 ml gorącej wody
1 łyżka oleju rzepakowego

Nadzienie:
1 szklanka czerwonej soczewicy
1 ½ szklanki wody
½ cebuli
2 pomidory suszone
1 łyżka oleju rzepakowego

Rada:

Jeśli chcesz użyć placków nieco później, koniecznie przykryj je ściereczką, żeby nie stwardniały.
Podane nadzienie to tylko propozycja. Placki możesz posmarować dowolnym farszem, np. mięsnym lub owocowym.

BURACZANE MUFFINKI

Liczba sztuk: 15

Zanim zaczniesz:

Buraki ugotuj do miękkości, ostudź i zetrzyj na najmniejszych oczkach tarki. Odciśnij z nadmiaru soku i odmierz jedną pełną szklankę startego warzywa. Przygotuj foremki do muffinek i nastaw piekarnik na 200°C z termoobiegiem.

Wykonanie:

- Masło rozpuść i ostudź. Żurawinę wypłucz i posiekaj na drobne kawałki.
- W dużej misce połącz mąkę, proszek do pieczenia, sodę, kakao lub karob.
- Do suchych składników dodawaj kolejno: mleko, syrop daktylowy, rozbełtane jajko, startego buraka, posiekaną żurawinę. Wymieszaj energicznie łyżką, by wszystkie składniki połączyły się w zwartą, jednolitą masę.
- Nakładaj ciasto łyżką do foremek do ¾ wysokości.
- Piecz przez 20 minut na środkowym poziomie piekarnika.

Składniki:

1 duży burak lub 2 mniejsze
2 szklanki mąki pszennej (np. pełnoziarnistej)
1 łyżka kakao lub karobu
100 g masła
1 szklanka mleka
1 jajko
1 łyżeczka proszku do pieczenia
½ łyżeczki sody oczyszczonej
2 łyżki suszonej żurawiny
opcjonalnie:
łyżeczka syropu daktylowego (s. 202)

Rada:

Masło możesz zastąpić ½ szklanki oleju rzepakowego.

PLACUSZKI MARCHWIOWO-CUKINIOWE

Liczba sztuk: 10

Zanim zaczniesz:

Obierz cukinię i zetrzyj na dużych oczkach tarki. Odstaw na 15 minut, a następnie odsącz z nadmiaru soku.

Wykonanie:

- Marchew obierz i zetrzyj na dużych oczkach.
- W misce połącz startą cukinię i marchew, rozbełtane jajka, wybrane świeże zioła i 1 łyżkę oleju. Dokładnie wymieszaj składniki i posyp niewielką szczyptą pieprzu.
- Dodaj 3 łyżki mąki kukurydzianej i ponownie wymieszaj. Jeśli ciasto jest zbyt rzadkie (cukinia wciąż będzie puszczać sok), możesz dosypać jeszcze odrobinę mąki.
- Patelnię lekko natłuść olejem i rozgrzej. Łyżką nakładaj porcje ciasta i spłaszczaj. Smaż na średnim ogniu ok. 3-4 minut z obu stron.

Opcja dla dorosłych:

Część ciasta możesz doprawić solą i większą ilością pieprzu oraz usmażyć na większej ilości tłuszczu.

Składniki:

1 średnia cukinia
2 marchewki
2 jajka
2 łyżki posiekanej natki pietruszki lub świeżej bazylii albo szczypiorku
3-4 łyżki mąki kukurydzianej
szczypta pieprzu
1 łyżka oleju rzepakowego plus do smażenia

Rada:

Młodej cukinii nie musisz obierać ze skóry, ponieważ pod nią znajduje się najwięcej witamin.
Zamiast mąki kukurydzianej możesz użyć mąki pszennej lub orkiszowej.
Placki możesz upiec w piekarniku (na papierze do pieczenia) przez 25-30 minut w 180 °C z termoobiegiem.

KUKURYDZIANE PLACKI SZPINAKOWE

Liczba sztuk: 12

Zanim zaczniesz:

Podduś szpinak na niewielkim ogniu do momentu, aż zmięknie. Pod koniec dodaj wyciśnięty przez praskę czosnek i sok z cytryny. Pozostaw do ostygnięcia. Przygotuj głęboką miskę i patelnię.

Wykonanie:

- Wlej mleko do miski, dodaj mąkę, 1 łyżkę oleju i jajko. Dokładnie wymieszaj.
- Do powstałej masy dodaj wystudzony szpinak, posiekany drobno koperek, curry i wymieszaj całość.
- Rozgrzej patelnię, posmaruj ją olejem i smaż placki z obu stron do zrumienienia.

Opcja dla dorosłych:

Placki możesz doprawić solą i pieprzem oraz dodać więcej czosnku. Możesz podać z sosem jogurtowym (s. 199).

Składniki:

½ szklanki mleka
½ szklanki mąki kukurydzianej
200 g szpinaku (mrożonego lub świeżego)
1 jajko
1 łyżeczka soku z cytryny
1 łyżeczka curry w proszku
1 ząbek czosnku
1 łyżeczka posiekanego koperku
1 łyżka oleju rzepakowego plus do smażenia

Rada:

Zamiast szpinaku możesz użyć jarmużu.

Rozdział 4

Pora na obiad

Główny posiłek dnia powinien być ciepły i treściwy. Nie ma znaczenia, czy codziennie jecie dwudaniowe obiady, czy też ograniczacie się do pożywnej zupy lub dania jednogarnkowego – każdą potrawę możesz przygotować tak, żeby dostarczyła odpowiednio zbilansowanych składników. W tym rozdziale znajdziesz między innymi sporo pomysłów na zwiększenie udziału warzyw w jadłospisie, nowe wersje dobrze znanych naleśników i kolorowe zupy.

ZUPA Z CZERWONEJ SOCZEWICY

Liczba porcji: 3

Zanim zaczniesz:

Obierz warzywa. Marchewki i seler zetrzyj na grubych oczkach.

Wykonanie:

- Soczewicę wypłucz w ciepłej wodzie. Cebulę pokrój w drobną kostkę. Czosnek przeciśnij przez praskę.
- W dużym garnku rozgrzej oliwę, włóż cebulę i zeszklij ją. Po chwili dodaj czosnek i jeszcze chwilę podsmażaj. Dodaj starte marchewki i seler. Smaż warzywa przez 2 minuty.
- Pomidory pokrój na mniejsze cząstki, wrzuć do garnka i wymieszaj.
- Wsyp do garnka soczewicę, zalej całość bulionem lub wodą, dopraw słodką papryką i gotuj bez przykrycia ok. 20 minut. Piankę, która utworzy się na powierzchni zupy po zagotowaniu warzyw, zdejmij łyżką cedzakową.
- Zdejmij zupę z ognia. Dopraw pieprzem, tymiankiem, bazylią. Możesz potrawę zmiksować. Nalej zupę na talerz i posyp posiekaną natką pietruszki.

Opcja dla dorosłych:

Zupę możesz doprawić do smaku solą i większą ilością pieprzu. Zyska pikantny smak, jeśli doprawisz ją ostrą papryką lub chili.

Składniki:

½ szklanki czerwonej soczewicy
3½ szklanki bulionu (s. 204) lub wody
2 marchewki
5 pomidorów bez skórki
½ małego selera
1 mała cebula
2 ząbki czosnku
2 łyżki oliwy
1 mały pęczek natki pietruszki
½ łyżeczki słodkiej papryki
½ łyżeczki suszonego tymianku
4 listki świeżej bazylii lub ½ łyżeczki suszonej
szczypta pieprzu

Rada:

Dzieciom, które nie potrafią posługiwać się łyżką, możesz nalać zupę do kubka lub podać z grzankami lub makaronem. Będą mogły wyjadać krem rękoma lub maczać pieczywo w zupie.

ZUPA OWOCOWA

Liczba porcji: 6

Wykonanie:

- Makaron ugotuj do miękkości.
- Wlej wodę do garnka, wsyp wszystkie owoce i doprowadź do wrzenia. Gotuj ok. 10 minut.
- Mąkę ziemniaczaną wymieszaj z wodą, a następnie powoli wlej do gotującej się zupy, cały czas mieszając. Gotuj ok. 2-3 minut. Ostudź zupę, a następnie dosłódź.
- Przestudzoną zupę możesz podawać z makaronem i kleksem jogurtu naturalnego.

Składniki:

2 litry wody
2 szklanki jagód
2 szklanki truskawek
1 szklanka malin lub wiśni bez pestek
3 łyżki mąki ziemniaczanej plus ¾ szklanki wody
3 łyżki miodu lub syropu z suszonych owoców (s. 202)
opcjonalnie:
6 łyżek jogurtu naturalnego (s. 199)
drobny makaron

Rada:

Zupa owocowa jest dobrym pomysłem na obiad w bardziej upalne dni.

ZUPA POMIDOROWA Z MAKARONEM

Liczba porcji: 4

Zanim zaczniesz:

Obierz warzywa. Umyj mięso i obierz je ze skóry. Przygotuj duży garnek. Ugotuj makaron.

Wykonanie:

- Warzywa podziel na mniejsze części, a cebulę opal nad ogniem, by skórka się przypaliła (jeśli masz kuchenkę inną niż gazowa – opiecz przekrojoną cebulę na suchej patelni).
- Wlej do garnka wodę, włóż mięso, przygotowane warzywa i natkę pietruszki w całości. Dodaj przyprawy i zagotuj wszystko. Przykryj i gotuj 1,5 godziny na najmniejszym ogniu.
- Wyjmij mięso i warzywa z bulionu. Przecedź go przez sitko. Dodaj przecier pomidorowy i wymieszaj.
- Do jogurtu dodaj ok. 3 łyżek zupy, by go ogrzać, a następnie wlej wszystko do garnka, ciągle mieszając.
- Podawaj z makaronem i drobno porwanymi listkami bazylii.

Opcja dla dorosłych:

Zupę możesz doprawić solą i pieprzem.

Składniki:

2 litry wody
2 udka kurczaka
2 małe marchewki
1 pietruszka
¼ selera
1 por (biała część)
1 mała cebula
3 ziarna pieprzu
2 ziarna ziela angielskiego
1 szklanka przecieru pomidorowego
2 łyżki jogurtu naturalnego (s. 199)
pęczek natki pietruszki
kilka listków bazylii
makaron

Rada:

Zupę możesz podać z dowolnym makaronem lub ryżem. Warzyw z zupy możesz użyć do przygotowania pasztetu warzywno-amarantusowego (s. 46), jaglanego pasztetu mięsno-warzywnego (s. 48) lub muffinek warzywnych (s. 84).

KREM Z ZIELONEGO GROSZKU Z GRZANKAMI

Liczba porcji: 3

Zanim zaczniesz:

Przygotuj blender i duży garnek.

Składniki:

2½ szklanki zielonego groszku (świeżego lub mrożonego)
1 cebula
1 średniej wielkości seler
2 duże pietruszki
3 łyżki oliwy
1 pęczek świeżej mięty
4 szklanki wody lub bulionu warzywnego (s. 204)
świeżo zmielony pieprz
4 duże kromki chleba

Wykonanie:

- Cebulę obierz i posiekaj w kostkę. Seler i pietruszkę obierz i pokrój w dużą kostkę lub talarki.
- W garnku rozgrzej oliwę i zeszklij na niej cebulę. Po chwili dodaj seler i pietruszkę, podsmażaj przez minutę, ciągle mieszając, a następnie zalej warzywa 3 szklankami wody lub bulionu, dodaj groszek i całość gotuj pod przykryciem ok. 25 minut. Zdejmij garnek z ognia.
- Z pęczka świeżej mięty oderwij kilkanaście listków i posiekaj je. Dodaj do zupy i zmiksuj całość na gładki krem.
- Dodaj 1 szklankę wody lub bulionu, szczyptę pieprzu i ponownie zagotuj zupę (przez ok. 1 minutę).
- Kromki chleba pokrój w małą kostkę i upraż na suchej patelni przez kilka minut, aż zrumienią się z każdej strony. Ciepłą zupę posyp grzankami.

Rada:

Jeśli zupa jest zbyt gęsta, dolej więcej wody lub bulionu.

Opcja dla dorosłych:

Zupę możesz doprawić do smaku większą ilością pieprzu, mięty oraz solą.

KRUPNIK Z JAGLANKĄ

Liczba porcji: 5

Zanim zaczniesz:

Mięso dokładnie umyj. Warzywa obierz.

Wykonanie:

- Mięso przełóż do dużego garnka, dodaj ziele angielskie, listki laurowe i zalej wodą. Doprowadź do wrzenia, zdejmij łyżką szumowiny i zmniejsz ogień.
- Do gotującego się wywaru włóż marchew, pietruszki, pora, cebulę i przepołowiony seler. Gotuj zupę na małym ogniu ok. 1 godziny do momentu, aż warzywa i mięso zmiękną, a następnie wyjmij je z garnka i pozostaw do ostygnięcia.
- Ziemniaki pokrój w kostkę, kaszę jaglaną przesyp na sito i opłucz gorącą wodą. Wsyp pokrojone ziemniaki i kaszę do gotującego się wywaru. Gotuj ok. 15 minut do miękkości.
- Ostudzone mięso oddziel od kości i skóry, posiekaj na małe kawałki. Marchew, seler i korzeń pietruszki pokrój w kostkę. Dodaj wraz z mięsem do zupy.
- Gotową zupę posyp posiekaną natką pietruszki oraz dopraw pieprzem do smaku.

Opcja dla dorosłych:

Zupę możesz doprawić solą oraz suszonymi grzybami (które wcześniej należy podgotować).

Składniki:

2½ litra wody
1-2 indycze skrzydła
6 łyżek kaszy jaglanej
4 marchewki
2 pietruszki
1 mały seler
1 por (tylko biała część)
1 mała cebula
4 duże ziemniaki
2 listki laurowe
2 ziarna ziela angielskiego
mały pęczek natki pietruszki
pieprz

Rada:

Jaglany krupnik jest bardzo dobry na przeziębienie. Zupa działa rozgrzewająco. Maluchom, które nie potrafią jeść rzadkiej zupy łyżką, możesz nalać ją do kubka, a warzywa podać w całości na płaskim talerzu.

CHŁODNIK OGÓRKOWY

Liczba porcji: 3

Zanim zaczniesz:

Umyj i obierz jabłko oraz ogórki. Przygotuj głęboką miskę i blender.

Wykonanie:

- Jabłko i ogórki pokrój na mniejsze kawałki, awokado przekrój na pół, wyjmij pestkę, wydrąż miąższ z połówki, przełóż wszystko do miski i zblenduj na gładki mus.
- Dodaj oliwę, sok z cytryny lub limonki i maślankę. Wymieszaj wszystko dokładnie. Posyp listkami świeżej mięty.

Składniki:

1 szklanka maślanki lub kefiru
6 dużych świeżych ogórków gruntowych
½ jabłka
1 łyżeczka soku z limonki lub cytryny
1 łyżka oliwy
½ miękkiego awokado
1 gałązka świeżej mięty

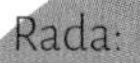

Rada:

Potrawę należy przed podaniem dobrze schłodzić.

CHŁODNIK KREM Z BOTWINKI

Liczba porcji: 4

Zanim zaczniesz:

Oczyść i umyj botwinkę. Jajka ugotuj na twardo. Przygotuj blender.

Wykonanie:

- Pokrój botwinkę na mniejsze kawałki i ugotuj ją do miękkości w bulionie. Ugotowaną botwinkę zmiksuj wraz z bulionem na gładki krem.
- Do kremu dodaj kefir, wyciśnięty ząbek czosnku i wymieszaj.
- Zetrzyj rzodkiewki na grubych oczkach, posiekaj koperek. Obierz jajka i przekrój je na ósemki.
- Podawaj chłodnik z jajkiem, posypany rzodkiewką i koperkiem.

Opcja dla dorosłych:

Chłodnik możesz doprawić solą i pieprzem.

Składniki:

2 pęczki botwinki
1 ząbek czosnku
1 szklanka bulionu (s. 204)
4 łyżki kefiru
2 jajka
½ pęczka koperku
4-5 rzodkiewek
1 łyżeczka soku z cytryny

Rada:

Potrawę należy przed podaniem dobrze schłodzić. Zamiast kefiru można użyć jogurtu naturalnego (s. 199).

KREMOWA ZUPA DYNIOWA

Liczba porcji: 4

Zanim zaczniesz:

Przygotuj blender.

Wykonanie:

- Cebulę obierz i posiekaj w małą kostkę. Czosnek obierz i przeciśnij przez praskę. Imbir obierz i pokrój w małą kostkę lub zetrzyj na drobnych oczkach.
- Paprykę i jabłko obierz ze skóry, przekrój na pół, wyjmij gniazda nasienne i pokrój w małą kostkę.
- Dynię obierz ze skóry, usuń pestki i miękki miąższ, pokrój w dużą kostkę.
- W dużym garnku rozgrzej olej, dodaj posiekaną cebulę i zeszklij. Po chwili dodaj rozdrobniony czosnek i imbir, podsmażaj kolejną minutę. Dodaj pokrojoną paprykę i jabłko. Podsmażaj (mieszając co chwilę) kolejne 2 minuty. Dodaj pokrojoną dynię i całość wymieszaj. Podsmażaj kolejne 2 minuty, a następnie całość zalej bulionem lub wodą do poziomu warzyw. Dopraw cynamonem.
- Gotuj zupę przez ok. 15 minut (bez przykrycia), aż warzywa zmiękną, a następnie zmiksuj na gładki krem. Jeśli zupa jest zbyt gęsta, dolej odrobinę bulionu lub wody i ponownie zagotuj całość.

Opcja dla dorosłych:

Zupę możesz doprawić do smaku solą i pieprzem oraz posypać uprażonymi na suchej patelni płatkami migdałowymi.

Składniki:

½ średniej dyni (ok. 500 g)
1 mała czerwona papryka
1 duże słodkie jabłko
kawałek imbiru (ok. 5 cm)
2 ząbki czosnku
2 małe cebule
2 łyżki oleju rzepakowego
½ łyżeczki cynamonu
2-3 szklanki bulionu warzywnego (s. 204) lub wody

Rada:

Zupa będzie bardziej sycąca, jeśli dodasz do niej ryż. Dzieciom, które nie potrafią posługiwać się łyżką, możesz nalać zupę do kubka lub podać z dużym kawałkiem świeżego pieczywa lub grzanką (posłuży do namaczania).

PULPETY Z DORSZA W SOSIE KOPERKOWYM

Liczba porcji: 4

Zanim zaczniesz:

Rybę umyj, osusz i sprawdź, czy nie ma ości. Przygotuj tarkę.

Wykonanie:

Pulpety:
- Rybę obficie skrop sokiem z cytryny, posiekaj na drobne kawałki. Przełóż do dużej miski.
- Cebulę obierz i drobno posiekaj. Marchew obierz i zetrzyj na dużych oczkach. Posiekaj natkę. Dodaj warzywa do ryby i wymieszaj całość.
- Jajko rozbełtaj i przelej do rybnej masy. Następnie wsyp kaszkę i dopraw pieprzem. Wymieszaj całość.
- Dłonie zwilż wodą, nabieraj niewielkie ilości masy, formuj małe kulki i obtaczaj je w mące.
- W szerokim dużym garnku zagotuj bulion i delikatnie przełóż do niego wszystkie kulki. Gotuj pulpety do miękkości na małym ogniu ok. 30 minut.

Sos:
- Koperek drobno posiekaj.
- Do małego garnka przelej 1½ szklanki bulionu (tego, który został po gotowaniu pulpetów) i doprowadź do wrzenia.
- Rozprowadź trzy łyżki mąki w połowie szklanki wody.
- Wlej mąkę do bulionu, wymieszaj rózgą i zagotuj. Dodaj koperek, sok z cytryny i pieprz. Gotuj przez kilka minut, ciągle mieszając, aż sos zgęstnieje.

Opcja dla dorosłych:

Dodaj do farszu 2 łyżeczki musztardy, sól i pieprz. Sos dopraw solą i pieprzem do smaku.

Składniki:

filet z dorsza bez skóry (ok. 400 g)
1½ litra bulionu warzywnego (s. 204)
1 marchewka
1 jajko
1 cebula
½ pęczka natki pietruszki
½ szklanki kaszki manny
1 pęczek koperku
3 łyżki mąki pszennej lub kukurydzianej plus do panierowania
½ cytryny
szczypta pieprzu

Rada:

Możesz również przygotować klopsy duszone na patelni. Wymieszaj wszystkie składniki farszu, obtocz kulki w mące lub bułce tartej i smaż na niewielkiej ilości oleju do zrumienienia, a następnie podlej bulionem i gotuj pod przykryciem, na niewielkim ogniu, ok. 25 minut. Podawaj z surówką, np. z kiszonej kapusty (s. 136), i ziemniakami.

PULPETY INDYCZE NADZIEWANE WARZYWAMI

Liczba porcji: 4

Zanim zaczniesz:

Ugotuj warzywa na półmiękko. Przygotuj jedną głęboką miskę i jedną mniejszą.

Wykonanie:

- Przełóż mięso do głębokiej miski, dodaj wyciśnięty czosnek, szczypiorek, koperek, jajko, łyżkę mąki i dokładnie wszystko wymieszaj, najlepiej ręką.
- Warzywa przełóż do mniejszej miski. Dodaj do nich curry i wymieszaj.
- Z mięsa formuj kulki, a następnie spłaszczaj je na dłoni. Na środku nakładaj po łyżeczce warzyw i zamykaj placek, formując pulpecik.
- Wsyp 2 łyżki mąki na płaski talerz. Obtaczaj w niej pulpety i układaj na rozgrzanej patelni lekko posmarowanej oliwą.
- Zrumień pulpety chwilę z obu stron, a następnie zalej szklanką bulionu lub wody i duś pod przykryciem ok. 30 minut. Jeśli podczas duszenia płyn wyparuje, dolej go.

Opcja dla dorosłych:

Mięso możesz doprawić solą i pieprzem, a do warzyw dodać ¼ posiekanej papryczki chili.

Składniki:

400 g mięsa mielonego z indyka
½ szklanki drobno pokrojonych warzyw (np. marchewka, pietruszka, brokuł, por)
3 łyżki mąki pszennej
1 jajko
1 łyżka posiekanego szczypiorku
1 łyżka posiekanego koperku
2 ząbki czosnku
1½ szklanki bulionu (s. 204) lub wody
1 łyżeczka curry w proszku
oliwa do smażenia

Rada:

Aby nadać pulpetom ostrzejszy smak, wyciśnięty przez praskę ząbek czosnku możesz też dodać do nadzienia warzywnego.

KOTLECIKI MIELONE Z MOZZARELLĄ

Liczba sztuk: 10

Zanim zaczniesz:

Obierz czosnek. Umyj zioła, oberwij listki i posiekaj je. Dużą blachę wyłóż papierem do pieczenia.

Wykonanie:

- Pomidor zetrzyj na grubych oczkach tak, żeby skóra została ci w ręce.
- Do dużej miski przełóż mięso. Dodaj do niego jajko, bułkę tartą, startego pomidora, wyciśnięty ząbek czosnku, cynamon i zioła. Dokładnie wymieszaj, najlepiej ręką, i odstaw na 15 minut do lodówki, a w tym czasie nastaw piekarnik na 200°C z termoobiegiem.
- Mozzarellę pokrój w grubą kostkę.
- Wyjmij mięso z lodówki, nabieraj ok. 2 łyżek masy mięsnej na dłoń, spłaszczaj, połóż kostkę sera, po czym zamknij, tworząc okrągły pulpet.
- Układaj mięsne kule na blaszce wyłożonej papierem do pieczenia i piecz przez pierwsze 10 minut w 200°C, a przez kolejne 20 minut w 180°C.

Opcja dla dorosłych:

Kotlety możesz doprawić solą i pieprzem.

Składniki:

500 g mięsa mielonego wieprzowego
1 jajko
2 łyżki bułki tartej lub kaszki manny
1 duży pomidor
1-2 ząbki czosnku
2 gałązki bazylii
2 gałązki oregano
5 gałązek mięty
½ łyżeczki cynamonu
125 g mozzarelli

Rada:

Masa mięsna będzie rzadka, ale da się z niej uformować kotlety. Dzięki takiej konsystencji kotleciki są miękkie. Mozzarellę możesz zastąpić białym lub żółtym serem.

DROBIOWE PULPETY AMARANTUSOWE

Liczba porcji: 4

Zanim zaczniesz:

Wypłucz ziarna amarantusa. Obierz czosnek. Przygotuj patelnię z pokrywką i głęboką miskę.

Wykonanie:

- Wodę zagotuj, wsyp ziarna amarantusa i gotuj pod przykryciem na małym ogniu, aż wchłoną cały płyn – ok. 20 minut. Odstaw do ostygnięcia.
- Przełóż mięso do głębokiej miski. Wyciśnij czosnek do mięsa, dodaj wystudzony amarantus, jajko, mąkę, curry, posiekany rozmaryn i wymieszaj dokładnie.
- Zwilżonymi wodą dłońmi formuj pulpety i obtaczaj je delikatnie w mące.
- Rozgrzej patelnię, posmaruj ją lekko oliwą i zrumień na niej delikatnie pulpety. Zalej je bulionem i duś ok. 30 minut pod przykryciem. Podawaj posypane koperkiem.

Opcja dla dorosłych:

Pulpety możesz doprawić solą i pieprzem.

Składniki:

½ szklanki ziaren amarantusa
1 szklanka wody
300 g drobiowego mięsa mielonego
2 ząbki czosnku
½ cebuli
1 jajko
4 łyżki mąki kukurydzianej lub pszennej plus do panierowania
1 szklanka bulionu (s. 204) lub wody
½ pęczka koperku
1 łyżeczka posiekanego świeżego rozmarynu
1 łyżeczka curry w proszku

Rada:

Mięso drobiowe możesz zastąpić wieprzowym. Wówczas zamiast curry daj taką samą ilość słodkiej papryki w proszku.

PLACKI ŁOSOSIOWE

Liczba sztuk: 10

Zanim zaczniesz:

Umyj i osusz łososia. Sprawdź dokładnie, czy nie ma ości. Obierz marchewkę i zetrzyj ją na najdrobniejszych oczkach. Przygotuj głęboką miskę.

Wykonanie:

- Łososia pokrój w drobną kostkę, skrop sokiem z cytryny.
- W misce rozbełtaj jajko, dodaj do niego mąkę, łososia, marchewkę, wyciśnięty ząbek czosnku oraz drobno posiekany koperek. Dokładnie wymieszaj.
- Rozgrzej patelnię posmarowaną olejem. Nakładaj łyżką niewielkie placki i smaż po ok. 2 minuty z każdej strony.

Składniki:

filet z łososia bez skóry (ok. 300 g)
1 marchewka
1 jajko
2½ łyżki mąki pszennej
sok z ½ cytryny
1 ząbek czosnku
3 gałązki koperku
olej rzepakowy do smażenia

Opcja dla dorosłych:

Placki możesz doprawić solą i pieprzem oraz dodać więcej czosnku.

Rada:

Placki możesz podać z sosem jogurtowo-czosnkowym (s. 199).

PIECZONE PLACKI CUKINIOWE Z KOPERKIEM

Liczba sztuk: 10

Zanim zaczniesz:

Obierz cukinię i zetrzyj na najmniejszych oczkach. Odstaw na 15 minut. Blachę wyłóż papierem do pieczenia.

Wykonanie:

- Cebulę obierz i drobno posiekaj. Czosnek obierz i przeciśnij przez praskę. Koperek posiekaj. Startą cukinię odsącz z nadmiaru soku.
- W miseczce połącz odcedzoną cukinię, cebulę, czosnek, koperek i rozbełtane jajko. Dokładnie wymieszaj składniki, dodaj pieprz i oliwę. Dodaj 2 łyżki mąki i ponownie wymieszaj. Ciasto na placki powinno być gęste i zwarte. Jeśli jest rzadkie, dodaj odrobinę mąki.
- Łyżką stołową nakładaj porcje ciasta na blachę i lekko spłaszczaj.
- Piecz w piekarniku z termoobiegiem nagrzanym do 180°C przez ok. 20-25 minut na środkowym poziomie piekarnika.

Opcja dla dorosłych:

Ciasto na placki możesz doprawić solą i większą ilością czosnku.

Składniki:

1 mała cukinia
1 jajko
1 ząbek czosnku
1 mała cebula
1 łyżka oliwy
1 duży pęczek koperku
2 łyżki mąki pszennej lub kukurydzianej
szczypta pieprzu

Rada:

Jeśli chcesz szybciej przygotować placki, możesz usmażyć je na suchej lub lekko natłuszczonej patelni. Smaż z obu stron, przez 3 minuty na stronę. Placki doskonale komponują się z sosem czosnkowym lub jogurtowo-ziołowym (s. 199).

PLACKI Z KASZY JĘCZMIENNEJ

Liczba sztuk: 10

Zanim zaczniesz:

Wypłucz kaszę i gotuj na małym ogniu pod przykryciem, aż wchłonie cały płyn. Ostudź. Pokrój paprykę w drobną kosteczkę, posiekaj koperek.

Składniki:

¾ szklanki kaszy jęczmiennej
1 ½ szklanki wody
2 łyżki twarogu
1 jajko
3 łyżki mąki pszennej lub innej
½ czerwonej papryki
1 ząbek czosnku
3 gałązki koperku
1 łyżka oleju rzepakowego plus do smażenia

Wykonanie:

- Wystudzoną kaszę przełóż do miski i połącz z twarogiem, jajkiem, mąką, papryką, koperkiem, przeciśniętym przez praskę czosnkiem i łyżką oleju – wymieszaj dokładnie.
- Smaż placki z obu stron na patelni wysmarowanej olejem, do zrumienienia.

Opcja dla dorosłych:

Placki możesz doprawić solą i pieprzem oraz dodatkowym ząbkiem czosnku.

Rada:

Placki doskonale smakują z sosem jogurtowo-ziołowym (s. 199).

POMIDOROWE PLACKI Z BAZYLIĄ

Liczba sztuk: 10

Zanim zaczniesz:

Umyj, sparz i obierz pomidory. Umyj bazylię, oberwij listki i posiekaj.

Wykonanie:

- Do dużej miski zetrzyj na grubych oczkach pomidory i cebulę. Do warzyw dodaj mąkę, amarantus, jajko, 1 łyżkę oleju i drobno posiekaną bazylię. Wymieszaj wszystko dokładnie łyżką.
- Posmaruj patelnię olejem i rozgrzej ją dobrze, a następnie nakładaj ciasto łyżką i smaż placuszki z obu stron, do zrumienienia.

Opcja dla dorosłych:

Ciasto na placki możesz doprawić solą, pieprzem i szczyptą ostrej papryki w proszku.

Składniki:

3 pomidory
1 jajko
3 łyżki mąki orkiszowej lub pszennej
1 łyżka amarantusa ekspandowanego
½ cebuli
3 gałązki świeżej bazylii
1 łyżka oleju rzepakowego plus do smażenia

Rada:

Jeśli nie masz świeżej bazylii, możesz użyć suszonej. Amarantus możesz zastąpić dodatkową łyżką mąki.

PLACKI JAGLANE Z TWAROGIEM I SZPINAKIEM

Liczba sztuk: 14

Zanim zaczniesz:

Kaszę przepłucz gorącą wodą, a następnie wsyp do wrzątku. Gotuj pod przykryciem na najmniejszym ogniu, nie mieszając, przez 18 minut. Ugotowaną kaszę przełóż do dużej miski i pozostaw do ostygnięcia. Świeży szpinak umyj i odetnij twarde łodyżki.

Wykonanie:

- Na patelni rozgrzej łyżkę oleju. Dodaj szpinak. Duś pod przykryciem, aż całkiem zmięknie, a następnie podnieś pokrywkę i duś jeszcze chwilę, aż woda zupełnie wyparuje.
- Cebulę obierz, posiekaj w małą kostkę i zeszklij na odrobinie oleju. Twaróg rozgnieć widelcem.
- Do ostudzonej kaszy dodaj szpinak, cebulę, twaróg, szczyptę pieprzu, sok z cytryny, łyżkę oliwy i wymieszaj. Następnie dodaj jajko, mleko i trzy łyżki mąki. Mieszaj łyżką do momentu uzyskania jednolitej masy.
- Patelnię rozgrzej i lekko natłuść olejem. Nakładaj łyżką porcje ciasta na patelnię. Smaż do zrumienienia, ok. 2 minut na każdą stronę.

Opcja dla dorosłych:

Ciasto na placki możesz przed usmażeniem doprawić solą i większą ilością pieprzu.

Składniki:

½ szklanki kaszy jaglanej
1 szklanka wody
150 g twarogu
100 g szpinaku świeżego lub mrożonego
1 cebula
3 łyżki mąki pszennej
1 jajko
¼ szklanki mleka
1 łyżka oliwy
1 łyżka soku z cytryny
szczypta pieprzu
olej do smażenia

Rada:

Placki świetnie smakują z sosem (s. 199).

KUKURYDZIANE RACUCHY DROŻDŻOWE

Liczba sztuk: 14

Zanim zaczniesz:

Obierz jabłko ze skórki, przekrój na pół i wyjmij gniazdo nasienne. Pokrój w drobne plasterki.

Wykonanie:

- Z drożdży świeżych zrób rozczyn: do wysokiej miski wlej letnie mleko, dodaj do niego pokruszone drożdże, ½ szklanki mąki – wymieszaj dokładnie, przykryj ściereczką i odstaw w ciepłe miejsce na 10 minut. Drożdże instant wystarczy wymieszać z mąką.
- Do rozczynu dodaj pozostałą mąkę, jajko i cynamon i dokładnie wymieszaj. Dodaj drobno pokrojone jabłko i ponownie wymieszaj. Przykryj ściereczką i odstaw w ciepłe miejsce na 20 minut, by ciasto wyrosło.
- Rozgrzej dobrze patelnię wysmarowaną olejem, nakładaj ciasto łyżką i smaż racuchy do zrumienienia z obu stron.

Opcja dla dorosłych:

Jabłko nadaje słodyczy racuchom, możesz je też dosłodzić, np. syropem daktylowym (s. 202).

Składniki:

1 szklanka letniego mleka
1 ½ szklanki mąki kukurydzianej
25 g świeżych drożdży lub 7 g instant
1 jajko
1 duże jabłko
½ łyżeczki cynamonu
olej kokosowy lub inny do smażenia

Rada:

Zostawiaj na patelni miejsce między racuchami – podczas smażenia mocno urosną. Najlepiej smakują zaraz po usmażeniu.

PLACKI AMARANTUSOWE Z BORÓWKAMI

Liczba sztuk: 10

Zanim zaczniesz:

Wypłucz ziarna amarantusa w zimnej wodzie.

Wykonanie:

- Zagotuj wodę, wsyp amarantus i gotuj pod przykryciem do momentu, aż wchłonie cały płyn (ok. 20 minut). Ostudź.
- Przełóż amarantus do miski, dodaj jajko, mąkę, rozgniecionego widelcem banana i wymieszaj dokładnie łyżką, by składniki się połączyły. Dodaj borówki i delikatnie wymieszaj.
- Wysmaruj patelnię olejem, rozgrzej ją dobrze, nakładaj ciasto łyżką i smaż placki z obu stron do zrumienienia.

Składniki:

½ szklanki ziaren amarantusa
1 szklanka wody
3 łyżki mąki kukurydzianej lub pszennej
1 jajko
½ banana
¼ szklanki borówek
olej kokosowy lub inny do smażenia

Opcja dla dorosłych:

Placki mogą być doskonałą opcją drugiego śniadania do pracy.

Rada:

Możesz użyć innych owoców, np. malin lub jabłek.

PLACKI BURACZKOWO-JABŁKOWE

Liczba sztuk: 10

Zanim zaczniesz:

Obierz jabłko. Ugotuj buraka w skórce, ostudź i obierz.

Wykonanie:

- Jabłko i buraka zetrzyj na grubych oczkach.
- Dodaj mąkę, jajko, sok z cytryny i wymieszaj.
- Posmaruj patelnię olejem i rozgrzej mocno, a następnie nakładaj ciasto łyżką i smaż placki z obu stron do zrumienienia.

Składniki:

1 burak
1 jabłko
2 ½ łyżki mąki pszennej lub orkiszowej
1 jajko
½ łyżeczki soku z cytryny
olej kokosowy lub inny do smażenia

BARDZO LENIWE PIEROGI

Liczba sztuk: 10

Zanim zaczniesz:

W dużym garnku zagotuj wodę.

Wykonanie:

- Serek przełóż do miski, dodaj jajko i mąkę, a następnie całość wymieszaj łyżką na gładką masę.
- Małą łyżeczką nabieraj porcje ciasta i kładź ostrożnie na wrzątek.
- Od momentu wypłynięcia gotuj pierożki na średnim ogniu ok. 3 minut. Odcedź, przełóż na talerz i polej roztopionym masłem.

Składniki:

300 g serka homogenizowanego naturalnego
1 jajko
¾ szklanki mąki pszennej
opcjonalnie: masło klarowane

Rada:

Pierożki możesz polać jogurtem, miodem lub syropem klonowym. Możesz je również podać ze świeżymi owocami.

KNEDLE Z TWAROGIEM I TRUSKAWKAMI

Liczba porcji: 3

Zanim zaczniesz:

Ziemniaki obierz, ugotuj, odcedź i ostudź. Przygotuj stolnicę i wałek do ciasta.

Wykonanie:

- Przygotuj farsz: twaróg rozgnieć widelcem, truskawki pokrój na ćwiartki, wymieszaj.
- Ostudzone ziemniaki przepuść przez praskę lub rozgnieć.
- W dużej misce połącz ziemniaki, jajko, mąkę pszenną, ziemniaczaną i mak. Wymieszaj całość i przełóż na posypaną mąką stolnicę. Zagniataj rękoma ciasto, aż uzyskasz jednolitą, gładką konsystencję, nieprzywierającą do stolnicy. Od czasu do czasu podsyp ciasto mąką.
- Rozwałkuj ciasto na grubość ok. 5 mm. Szklanką z cienkim brzegiem wykrawaj koła. Na środek każdego z nich nałóż łyżeczką farsz, zaklej placuszek i uformuj z niego kulkę. Postępuj podobnie z pozostałą resztą ciasta.
- W dużym garnku zagotuj wodę z oliwą. Knedle wrzucaj delikatnie do wrzątku. Gotuj bez przykrycia, na małym ogniu, ok. 4 minut od momentu wypłynięcia. Podawaj polane jogurtem lub roztopionym masłem.

Składniki:

ok. 125 g twarogu
½ kg ziemniaków (ok. 6 sztuk)
1 szklanka mąki pszennej plus do posypania stolnicy
¼ szklanki mąki ziemniaczanej
1 jajko
1 szklanka małych truskawek (ok. 200 g)
1 łyżka oliwy
opcjonalnie:
1 kopiasta łyżeczka niebieskiego maku

Rada:

Knedle możesz nadziać również innym farszem, np. śliwkami, mięsem mielonym lub czerwoną soczewicą.

PIEROGI LENIWE ZE SZCZYPIORKIEM

Liczba porcji: 4

Zanim zaczniesz:

W dużym garnku zagotuj wodę. Oddziel żółtka od białek. Ubij białka na pianę.

Wykonanie:

- Twaróg rozgnieć i przełóż do dużej miski. Dodaj żółtka, mąkę, szczypiorek i wymieszaj łyżką. Wmieszaj pianę do masy i wyrób ciasto rękoma.
- Przełóż ciasto na stolnicę posypaną mąką i zagniataj do momentu, aż stanie się jednolite i gładkie. Podsyp ciasto mąką, jeśli będzie bardzo klejące.
- Odrywaj duże kawałki ciasta i rękoma formuj wałki, a następnie spłaszcz je i potnij nożem po skosie na trzycentymetrowe kawałki.
- Przygotowane pierożki włóż do wrzątku i zagotuj. Zmniejsz ogień i gotuj ok. 3 minut od momentu wypłynięcia. Odcedź i polej oliwą.

Składniki:

500 g twarogu
3 jajka
1 ¾ szklanki mąki pszennej plus do podsypania ciasta
2 łyżki bardzo drobno posiekanego szczypiorku
oliwa do polania

Rada:

Im mniej dodatkowej mąki użyjesz, tym pierogi będą delikatniejsze. Możesz również pominąć szczypiorek w przepisie, uzyskasz tradycyjne pierogi leniwe, które możesz polać roztopionym masłem i posypać cynamonem.

SZPINAKOWE KLUSKI ŚLĄSKIE

Liczba porcji: 4

Zanim zaczniesz:

Ziemniaki obierz, ugotuj, odcedź i ostudź. Świeży szpinak umyj i odetnij twarde łodyżki. Szpinak podduś pod przykryciem, aż zmięknie, dodaj do niego wyciśnięty czosnek i sok z cytryny. Wymieszaj i ostudź. Odsącz z płynu, jeśli powstał. Jeśli używasz świeżego szpinaku – po wystudzeniu drobno go posiekaj. Przygotuj dużą, głęboką miskę, praskę do przeciskania ziemniaków i duży garnek z wodą.

Składniki:

1½ kg ziemniaków
1 jajko
ok. 9 łyżek mąki ziemniaczanej
200 g szpinaku świeżego lub mrożonego
2 ząbki czosnku
1 łyżeczka soku z cytryny

Wykonanie:

- Do głębokiej miski przeciśnij przez praskę letnie ziemniaki. Uklep je dobrze i podziel na 4 części. Jedną z nich wyjmij, puste miejsce wypełnij mąką ziemniaczaną.
- Włóż ponownie do miski wyjęte ziemniaki, dodaj szpinak i jajko. Wyrób ciasto. Powinno być miękkie, ale jeśli będzie się rozpadać – dodaj mąki (maksymalnie 2 łyżki).
- Urywaj niewielkie kawałki ciasta, formuj z niego z niego kulki, a następnie spłaszcz je na dłoni, na środku robiąc małe wgłębienie.
- Włóż kluski do gotującej się wody. Gotuj je 2-3 minuty od momentu wypłynięcia.

Opcja dla dorosłych:

Możesz posolić wodę, w której będą gotowały się kluski.

Rada:

Kluski można podać z sosem jogurtowo-czosnkowym (s. 199) lub mogą stanowić dodatek do dań obiadowych.
Ciasto najlepiej się wyrabia, gdy ugotowane ziemniaki są jeszcze lekko ciepłe.

PALUSZKI RYBNE

Liczba porcji: 4

Zanim zaczniesz:

Zmiel w młynku lub blenderze pestki dyni. Blachę wyłóż papierem do pieczenia i skrop go oliwą lub olejem na całej powierzchni.

Wykonanie:

- Rybę umyj i osusz. Upewnij się, że nie ma ości. Przetnij każdy filet wzdłuż, a następnie podziel każdy pasek na mniejsze „paluszki".
- Pokrojoną rybę skrop obficie sokiem z cytryny, posyp natką pietruszki i pieprzem ziołowym. Wymieszaj delikatnie i odstaw rybę do lodówki na 15 minut.
- Przygotuj 3 miseczki: z mąką, z rozbełtanymi jajkami i z bułką tartą wymieszaną z pestkami dyni.
- Panieruj każdy kawałek (mąka, jajka, bułka tarta), a następnie układaj kawałki ryby na papierze do pieczenia.
- Piecz przez 15-20 minut w 175 °C z termoobiegiem na środkowym poziomie piekarnika. W połowie czasu pieczenia przewróć paluszki na drugą stronę.

Opcja dla dorosłych:

Porcję surowej ryby możesz doprawić solą przed pieczeniem.

Składniki:

filet z dorsza/ mintaja/ morszczuka bez skóry (ok. 500 g)
2 jajka
1 szklanka mąki pszennej
1 szklanka bułki tartej
1 szklanka pestek dyni
1 kopiasta łyżeczka pieprzu ziołowego
1 łyżka posiekanej natki pietruszki
½ cytryny
oliwa lub olej rzepakowy do natłuszczenia

Rada:

Paluszki rybne możesz również usmażyć na lekko natłuszczonej patelni.
Podawaj z gotowanymi ziemniakami lub frytkami i surówką z kiszonej kapusty (s. 136).
Paluszki możesz polać sosem jogurtowo-koperkowym (s. 199) lub domowym ketchupem (s. 142).

OLIWKOWY ŁOSOŚ

Liczba porcji: 3

Zanim zaczniesz:

Umyj łososia, osusz go ręcznikiem papierowym. Sprawdź dokładnie, czy nie ma ości.

Składniki:

filet z łososia bez skóry (ok. 300 g)
7 zielonych oliwek
1 łyżka soku z cytryny
1 łyżeczka oliwy

Wykonanie:

- Natrzyj rybę sokiem z cytryny. Przygotuj marynatę: zmiksuj oliwki wraz z oliwą.
- Posmaruj łososia marynatą i odstaw na co najmniej 30 minut do lodówki.
- Wyjmij mięso z lodówki, zdejmij nadmiar marynaty i ułóż rybę na blaszce wyłożonej papierem do pieczenia lub w naczyniu żaroodpornym.
- Zapiekaj mięso 15-20 minut w 200 °C z termoobiegiem na środkowym poziomie piekarnika.

Opcja dla dorosłych:

Żeby nadać ostrość potrawie, możesz natrzeć łososia szczyptą ostrej papryki.

Rada:

Nie musisz schładzać zamarynowanej ryby w lodówce, jednak dzięki temu łosoś będzie smaczniejszy. Potrawę możesz podać z ryżem i pomidorami z bazylią.

ŁOSOŚ W MAKOWEJ PANIERCE

Liczba porcji: 3

Zanim zaczniesz:

Blachę wyłóż papierem do pieczenia.

Wykonanie:

- Rybę umyj, osusz i upewnij się, że nie ma ości, a następnie pokrój na trzy mniejsze części.
- Miętę umyj i drobno posiekaj. Natrzyj każdy kawałek ryby i zostaw na niej listki.
- Do szerokiego naczynia wlej sok z pomarańczy i zanurz w nim rybę na minimum 30 minut.
- Mak przesyp na płaski talerzyk. Wyjmij kawałki łososia z zalewy, obtocz w maku z każdej strony.
- Ułóż przygotowane kawałki łososia na blaszce. Piecz przez 20 minut w 180 °C z termoobiegiem na środkowym poziomie piekarnika.

Składniki:

filet z łososia bez skóry (ok. 500 g)
1 szklanka soku pomarańczowego
¾ szklanki niebieskiego maku
opcjonalnie:
4-5 listków świeżej mięty

Opcja dla dorosłych:

Pokrojona na mniejsze kawałki ryba może być składnikiem sałatki.

Rada:

Łosoś w makowej panierce świetnie komponuje się z ryżem i gotowanymi warzywami. Możesz go podać również z pieczonymi owocami: pomarańczę obierz, pokrój w plastry, posyp kardamonem, gruszkę obierz, pokrój w grube słupki, posyp cynamonem. Owoce ułóż obok łososia na 10 minut przed końcem pieczenia ryby.

NALEŚNIKI KUKURYDZIANE Z TRUSKAWKAMI

Liczba sztuk: 6

Zanim zaczniesz:

Umyj truskawki i usuń z nich szypułki. Przygotuj patelnię do naleśników.

Składniki:

1 szklanka mąki kukurydzianej
1 płaska łyżka mąki ziemniaczanej
1 szklanka mleka
1 jajko
3 łyżki oliwy lub oleju plus do smażenia
truskawki (ok. 250 g)
opcjonalnie:
⅓ łyżeczki kurkumy

Wykonanie:

- W misce połącz obie mąki i kurkumę. Dodaj rozbełtane jajko, mleko, wlej 3 łyżki oleju lub oliwy. Całość dokładnie wymieszaj rózgą. Odstaw ciasto na ok. 15 minut w chłodne miejsce (dzięki temu naleśniki będą pulchne i delikatne).
- Truskawki pokrój na ćwiartki lub rozgnieć widelcem.
- Zamieszaj ciasto chochelką. Rozgrzej ½ łyżki oleju lub oliwy na patelni i wlej chochelkę ciasta. Rozprowadź ciasto po całej patelni. Smaż naleśnik, aż się zrumieni, a następnie delikatnie przełóż na drugą stronę i smaż jeszcze chwilę. Kolejne naleśniki możesz smażyć już bez dodatku tłuszczu.
- Nałóż truskawki na gotowe naleśniki i zwiń w ulubiony sposób.

Opcja dla dorosłych:

Naleśniki dla dorosłych możesz usmażyć na większej ilości oleju. Będą bardziej chrupiące.

Rada:

Możesz przygotować szybką konfiturę do naleśników: do garnuszka wlej ½ szklanki wody, dodaj szklankę wiśni bez pestek i 4 posiekane suszone śliwki. Gotuj całość pod przykryciem na średnim ogniu do momentu, aż wiśnie zaczną się rozpadać. Zdejmij pokrywkę, rozgnieć owoce widelcem i gotuj jeszcze przez ok. 5-6 minut, aż woda całkiem wyparuje, a konfitura będzie gęsta.

NALEŚNIKI BURACZANE Z MUSEM Z GRUSZKI

Liczba sztuk: 6

Zanim zaczniesz:

Ugotuj buraka w skórce do miękkości. Przygotuj patelnię do naleśników, mikser i blender.
Obierz gruszki, przekrój i usuń gniazda nasienne.

Składniki:

1 szklanka mleka
2 jajka
4 łyżki mąki pszennej
1 burak
2 gruszki
1 łyżeczka soku z cytryny
olej kokosowy lub inny do smażenia

Wykonanie:

- Wystudzonego buraka obierz ze skórki, pokrój na mniejsze kawałki, a następnie zblenduj na mus. Dodaj do niego jajka, mleko, mąkę i łyżkę oleju, a następnie wszystko dokładnie zmiksuj, by nie było grudek. Odstaw ciasto na 15 minut, dzięki temu naleśniki będą się łatwiej smażyć.
- Rozgrzej posmarowaną olejem patelnię i smaż naleśniki z obu stron, delikatnie je przewracając.
- Gruszki pokrój na mniejsze kawałki i zblenduj na mus.
- Smaruj naleśniki cienką warstwą musu i zwijaj w dowolny sposób.

Opcja dla dorosłych:

Tak przygotowane danie możesz na przykład spakować na obiad do pracy.

Rada:

Ciasto naleśnikowe z dodatkiem buraka jest bardzo puszyste i delikatne, więc smażąc, przewracaj je ostrożnie, by placki się nie rozpadały. Naleśniki możesz podać z dowolnym nadzieniem, jednak gruszka doskonale komponuje się z burakiem.

NALEŚNIKI GRYCZANE ZE SZPINAKIEM

Liczba sztuk: 7

Zanim zaczniesz:

Jeśli używasz świeżego szpinaku, opłucz go i usuń twarde łodyżki.

Wykonanie:

- W misce połącz obie mąki i przyprawy. Dodaj jajko, mleko lub wodę, 2 łyżki oleju lub oliwy i dokładnie wymieszaj całość rózgą. Odstaw ciasto na 15 minut w chłodne miejsce.
- Przygotuj farsz: na patelni rozgrzej masło lub oliwę, dodaj szpinak i przepuszczony przez praskę czosnek i duś pod przykryciem do miękkości. Zdejmij pokrywkę i gotuj do momentu, aż całość zgęstnieje. Dopraw pieprzem do smaku.
- Wymieszaj ciasto, patelnię lekko natłuść i rozgrzej. Wlej 1 chochelkę ciasta i rozprowadź je po całej patelni. Smaż naleśnik, aż się zrumieni, a następnie delikatnie przełóż na drugą stronę i smaż jeszcze chwilę. Kolejne naleśniki możesz smażyć już bez dodatku tłuszczu.
- Nałóż farsz na gotowe naleśniki i zwiń w swój ulubiony sposób.

Opcja dla dorosłych:

Farsz do naleśników możesz doprawić solą.

Składniki:

Ciasto:
1 szklanka mąki gryczanej
½ szklanki mąki pszennej pełnoziarnistej
1 jajko
2 szklanki mleka lub wody
2 łyżki oleju rzepakowego lub oliwy plus do smażenia
½ łyżeczki słodkiej papryki
szczypta ziół prowansalskich

Farsz:
szpinak świeży lub mrożony (ok. 450 g)
3 ząbki czosnku
2 łyżki oliwy lub masła
szczypta pieprzu

Rada:

Pamiętaj, by odstawić ciasto naleśnikowe na przynajmniej 15 minut w chłodne miejsce. Dzięki temu naleśniki będą się łatwiej smażyć, a ciasto będzie pulchne i delikatne.

SŁODKA SURÓWKA MARCHEWKOWA

Liczba porcji: 3

Zanim zaczniesz:

Rodzynki zalej wodą, mocz przez 15 minut, a następnie odcedź. Słonecznik upraż na suchej patelni do lekkiego zbrązowienia.

Składniki:

1 duża marchew lub 2 małe
1 mała słodka pomarańcza
2 łyżki ziaren słonecznika
2 łyżki rodzynek
1 łyżka soku z cytryny
1 łyżeczka oliwy

Wykonanie:

- Marchew obierz i zetrzyj na małych oczkach.
- Pomarańczę obierz ze skóry, wyjmij pestki, pokrój na cząstki.
- W misce połącz startą marchew, pokrojoną pomarańczę, uprażone ziarna słonecznika i rodzynki. Polej surówkę oliwą i sokiem z cytryny i wymieszaj. Podawaj jako dodatek do dań obiadowych, np. z rybą.

Opcja dla dorosłych:

Surówkę możesz posypać siekanymi orzechami.

Rada:

Jeśli chcesz, by surówka miała słodszy smak, dodaj więcej rodzynek, syrop z suszonych owoców (s. 202) lub miód.

SURÓWKA Z KISZONEJ KAPUSTY

Liczba porcji: 4

Zanim zaczniesz:

Odciśnij kapustę z nadmiaru soku. Obierz marchewkę, cebulę i jabłko.

Wykonanie:

- Kapustę posiekaj. Cebulę pokrój w drobną kostkę. Marchewkę i jabłko zetrzyj na małych oczkach tarki.
- Przełóż wszystko do miski, dodaj oliwę i wymieszaj.

Opcja dla dorosłych:

Surówkę możesz doprawić solą i pieprzem.

Składniki:

400 g kiszonej kapusty
1 jabłko
1 marchewka
2 łyżki oliwy
opcjonalnie: ¼ cebuli

Rada:

Do surówki możesz dodać kminek.
Surówka może być dodatkiem do pulpetów, klopsików lub kotletów.

BURACZKI ZASMAŻANE

Zanim zaczniesz:

Buraki ugotuj w skórce do miękkości. Żurawinę zalej wodą, mocz przez 10 minut, a następnie odsącz.

Wykonanie:

- Buraki i jabłka obierz i zetrzyj na tarce. Żurawinę posiekaj. Połącz wszystkie składniki, posyp tymiankiem, polej sokiem z cytryny i wymieszaj.
- W dużym garnku rozgrzej oliwę, przełóż przygotowane składniki i smaż na małym ogniu ok. 5 minut, co chwilę mieszając.
- Dopraw do smaku pieprzem. Podawaj jako dodatek do dań z mięsem.

Składniki:

2 duże buraki
2 małe jabłka
3 łyżki suszonej żurawiny
1 łyżka soku z cytryny
½ łyżeczki suszonego tymianku
2 łyżki oliwy
szczypta pieprzu

ZAPIEKANKA MAKARONOWA Z KURCZAKIEM I BROKUŁAMI

Liczba porcji: 6

Zanim zaczniesz:

Przygotuj duże, wysokie naczynie żaroodporne.

Wykonanie:

- Makaron ugotuj na półtwardo, a następnie odcedź.
- Brokuł podziel na mniejsze różyczki, przełóż do garnka, zalej wodą, ugotuj na półtwardo, a następnie odcedź.
- Mięso dokładnie umyj, osusz i pokrój w kostkę. Cebulę obierz i pokrój w małą kostkę. Na patelni rozgrzej olej i podsmaż kawałki kurczaka. Dodaj posiekaną cebulę, posyp całość przyprawami: curry, słodką papryką, kurkumą oraz szczyptą pieprzu, i podsmażaj ok. 8 minut.
- Makaron i kurczaka wymieszaj w naczyniu żaroodpornym, na wierzchu ułóż różyczki brokułu. Piekarnik rozgrzej do 180°C z termoobiegiem.
- Przygotuj sos beszamelowy: w garnku rozpuść masło, dodaj mąkę, wymieszaj rózgą do połączenia składników i stopniowo dolewaj mleka, cały czas mieszając. Sos podczas gotowania będzie gęstniał. Dopraw szczyptą gałki muszkatołowej i pieprzu, ciągle mieszając, gotuj ok. 3 minut, a następnie polej sosem przygotowaną zapiekankę.
- Wstaw naczynie na środkowy poziom piekarnika i piecz ok. 25 minut.

Opcja dla dorosłych:

Zapiekankę możesz posypać startym żółtym serem i doprawić solą do smaku.

Składniki:

filet z piersi kurczaka (ok. 500 g)
1 duży brokuł
3 szklanki makaronu penne lub świderki
1 cebula
1 ½ łyżeczki curry w proszku
⅓ łyżeczki kurkumy
⅓ łyżeczki słodkiej papryki w proszku
2 łyżki masła
2 łyżki mąki pszennej
2½ szklanki mleka
⅓ łyżeczki gałki muszkatołowej
szczypta pieprzu (opcjonalnie: białego)
3 łyżki oleju rzepakowego

Rada:

Do zapiekanki możesz dodać również ugotowane ziarna kukurydzy lub czerwoną paprykę (podsmażone kostki).

PENNE W KREMOWYM SOSIE SZPINAKOWYM

Liczba porcji: 3

Zanim zaczniesz:

Obierz i pokrój cebulę w drobną kostkę. Jeśli używasz świeżego szpinaku, opłucz go i usuń twarde łodyżki.

Wykonanie:

- Na patelni rozgrzej 2 łyżki masła, zeszklij na nim cebulę. Dodaj liście szpinaku i duś pod przykryciem, aż zmiękną (przez ok. 3 minuty). Jeśli używasz mrożonego szpinaku, odwróć kolejność – najpierw chwilę podgrzej szpinak, a gdy zacznie się rozpadać, dodaj cebulę i duś pod przykryciem. Ugotowany szpinak posiekaj nożem.
- Przygotuj sos: w garnku rozpuść 1 łyżkę masła, dodaj 1 łyżkę mąki, wymieszaj rózgą, aż mąka zacznie się smażyć. Stopniowo wlewaj mleko, cały czas mieszając. Dopraw sos gałką muszkatołową i szczyptą pieprzu, dodaj rozdrobniony szpinak z cebulą, wymieszaj i gotuj sos na małym ogniu przez 5 minut.
- Makaron ugotuj w wodzie do miękkości, a następnie odcedź.
- Gotowy sos wymieszaj z makaronem.

Opcja dla dorosłych:

Danie możesz doprawić solą do smaku.

Składniki:

szpinak świeży lub mrożony (ok. 300 g)
1 łyżka mąki pszennej
3 łyżki masła
1 ½ szklanki mleka
1 cebula
⅓ łyżeczki mielonej gałki muszkatołowej
pieprz (opcjonalnie: biały)
makaron penne (lub inny)

Rada:

Danie możesz posypać startym parmezanem i podawać z kawałkami pieczonego lub gotowanego kurczaka lub łososia.

ŚWIDERKI Z PIETRUSZKOWYM PESTO

Liczba porcji: 3

Zanim zaczniesz:

Przygotuj blender. Ziarna słonecznika wsyp na suchą patelnię i praż przez kilka minut, aż lekko zbrązowieją.

Wykonanie:

- Natkę pietruszki (tylko listki i drobne łodyżki) drobno posiekaj, skrop sokiem z cytryny.
- Ostudzone ziarna słonecznika zmiksuj na miazgę, a następnie dodaj natkę pietruszki, przeciśnięty przez praskę czosnek, szczyptę pieprzu, oliwę lub olej i dokładnie zmiksuj na jednolite pesto.
- Makaron ugotuj i odcedź.
- Połącz gorący makaron z pesto i dokładnie wymieszaj. Danie podawaj na ciepło, posypane startym parmezanem.

Składniki:

1 duży pęczek natki pietruszki
⅓ szklanki ziaren słonecznika
1 mały ząbek czosnku
3 łyżki oliwy lub oleju rzepakowego
½ łyżeczki soku z cytryny
szczypta pieprzu
makaron świderki (lub inny)

Opcja dla dorosłych:

Pesto możesz doprawić solą do smaku.

Rada:

Jeśli pesto jest zbyt suche, dodaj więcej oliwy lub oleju.

MAKARON Z SOSEM BOLOŃSKIM

Liczba porcji: 4

Zanim zaczniesz:

Przygotuj głęboką patelnię.

Wykonanie:

- Cebulę drobno posiekaj i zeszklij na oleju. Dodaj mielone mięso i wymieszaj. Smaż 2 minuty, aż mięso się zetnie.
- Do mięsa wlej przecier lub drobno pokrojone pomidory, dodaj wyciśnięty przez praskę czosnek, zamieszaj i duś pod przykryciem ok. 20 minut. Pod koniec duszenia dodaj zioła.
- Ugotuj makaron i dodaj go do sosu.

Opcja dla dorosłych:

Sos możesz doprawić szczyptą ostrej papryki lub dodatkowym ząbkiem czosnku oraz dodać sól i pieprz.

Składniki:

4 duże pomidory bez skóry lub 400 ml przecieru pomidorowego
250 g mięsa mielonego z indyka
½ cebuli
2 ząbki czosnku
1 łyżka posiekanych listków oregano
1 łyżka posiekanych listków bazylii
1 łyżka oleju rzepakowego
makaron (spaghetti lub inny)

Rada:

Pamiętaj, że dziecku najwygodniej jeść większy makaron, dlatego podawaj np. penne, muszle, świderki. Starsze dzieci z pewnością poradzą sobie z makaronem spaghetti.

FRYTKI Z SELERA Z DOMOWYM KETCHUPEM

Liczba porcji: 2

Zanim zaczniesz:

Blachę wyłóż papierem do pieczenia. Przygotuj drobne sito.

Wykonanie:

- Selery obierz i pokrój w słupki grubości palca. Posyp tymiankiem i polej oliwą. Odstaw na 15 minut, a następnie układaj na blaszce tak, by nie nachodziły na siebie. Piecz przez 30-40 minut (do miękkości) w 170 °C z termoobiegiem na środkowym poziomie piekarnika.
- Przygotuj ketchup: pomidory w skórce pokrój w małą kostkę. Marchew obierz i zetrzyj na dużych oczkach. Daktyle posiekaj na drobne kawałki. Wsyp wszystkie składniki do małego garnka i gotuj pod przykryciem do momentu, aż pomidory całkiem się rozpadną.
- Zdejmij garnek z ognia, zmiksuj powstały sos do uzyskania jednolitej konsystencji i ponownie wstaw na gaz. Gotuj bez przykrycia do momentu, aż nadmiar wody wyparuje i sos zgęstnieje.
- Przetrzyj sos przez drobne sitko i przelej do miseczki. Ostudzonym ketchupem polej upieczone frytki.

Opcja dla dorosłych:

Frytki możesz posolić do smaku.

Składniki:

Frytki:
2 selery
2 łyżki suszonego tymianku
2 łyżki oliwy

Ketchup:
3 pomidory
1 duża marchew
2 suszone daktyle

Rada:

Zdrowe frytki możesz zrobić też z innych warzyw: marchewki, pietruszki, buraka, batatów, dyni. Czas pieczenia dostosuj indywidualnie do rodzaju warzyw.
Jeśli chcesz, by ketchup był jeszcze gęstszy, przetarty przez sito sos ponownie zagotuj.

RYŻ ZAPIEKANY Z DYNIĄ I BANANAMI

Liczba porcji: 2

Zanim zaczniesz:

Ryż opłucz zimną wodą, a następnie wsyp do wrzątku i gotuj pod przykryciem, aż zmięknie i wchłonie płyn (ok. 20 minut).

Wykonanie:

- Banany obierz ze skóry, pokrój w plasterki i posyp ½ łyżeczki cynamonu. Jabłko obierz ze skóry, przekrój na pół, usuń gniazdo nasienne i zetrzyj na grubych oczkach. Posyp ½ łyżeczki cynamonu.
- Naczynie żaroodporne wysmaruj oliwą i kolejno układaj warstwy: ryżu, puree z dyni, bananów, ryżu, jabłka. Posyp zapiekankę płatkami migdałowymi.
- Piekarnik rozgrzej do 180 °C z termoobiegiem. Wstaw przygotowaną zapiekankę na środkowy poziom piekarnika i piecz przez ok. 20 minut, sprawdzając, czy jabłko nie przypieka się zbyt mocno.

Opcja dla dorosłych:

Porcję dla dorosłych można dosłodzić.

Składniki:

1 szklanka brązowego lub białego ryżu (ok. 200 g)
2 ½ szklanki wody
2 banany
1 jabłko
1 łyżeczka cynamonu
1 ½ szklanki puree z dyni (s. 203)
1 łyżka płatków migdałowych
oliwa do natłuszczenia

Rada:

Danie możesz przygotować w jednym większym naczyniu (ok. 20x20 cm) lub każdą porcję zapiec oddzielnie w mniejszych miseczkach.

PIZZA EKSPRESOWA

Liczba porcji: 8

Zanim zaczniesz:

Świeży szpinak umyj i odetnij twarde łodyżki. Nastaw piekarnik na 230 °C z termoobiegiem.
Przygotuj blaszkę do pizzy lub wyłóż dużą blachę papierem do pieczenia.

Wykonanie:

- Szpinak podduś na maśle, by zmiękł. Jeśli używasz świeżego – posiekaj. Dodaj wyciśnięty przez praskę czosnek, sok z cytryny i jogurt lub śmietanę. Wymieszaj.
- Przygotuj ciasto na pizzę. Na stolnicę wysyp mąkę, dodaj proszek do pieczenia i powoli dolewaj wodę, mieszając ręką całość. Wyrabiaj ciasto, aż stanie się bardzo elastyczne.
- Rozwałkuj je na duży placek o grubości około 1 cm i ułóż na blaszce. Nałóż szpinak na ciasto i rozsmaruj go równo. Ser zetrzyj na tarce lub pokrój na plastry i ułóż na wierzchu. Posyp porwanymi drobno listkami oregano. Możesz zawinąć lekko brzegi.
- Piecz przez 7-10 minut, do zrumienienia.

Opcja dla dorosłych:

Pizzę możesz doprawić solą i kolorowym pieprzem.

Składniki:

1 ½ szklanki mąki pszennej
½ szklanki ciepłej wody
1 łyżeczka sody lub proszku do pieczenia
1 łyżka oliwy z oliwek
200 g szpinaku świeżego lub mrożonego
1-2 ząbki czosnku
½ łyżki masła
1 łyżka jogurtu greckiego lub śmietany
kilka kropel soku z cytryny
150 g koziego sera
3 gałązki oregano

Rada:

Możesz używać dowolnych dodatków do pizzy, np. sosu pomidorowego, oliwek, żółtego sera.

DOMOWA PIZZA Z KURCZAKIEM I ANANASEM

Liczba porcji: 8

Zanim zaczniesz:

Blachę wyłóż papierem do pieczenia.

Wykonanie:

- Przygotuj ciasto: w kubku pokrusz drożdże, dodaj wodę, sól, cukier (niekoniecznie) i wymieszaj. Drożdże instant wystarczy wymieszać z mąką. Do dużej miski wsyp mąkę, przelej zawartość kubka, dodaj olej i wyrabiaj ciasto drewnianą łyżką, a następnie ugniataj rękoma. Utwórz zwartą, elastyczną, gładką kulę z ciasta, przykryj miskę ściereczką i odstaw w ciepłe miejsce do wyrośnięcia (na ok. 40 minut).
- Przygotuj sos: w garnku zeszklij na oleju posiekaną cebulę, dodaj przeciśnięty przez praskę czosnek, koncentrat, zioła, pieprz i wodę. Gotuj przez ok. 3 minuty, cały czas mieszając. Odstaw do ostygnięcia.
- Przygotuj dodatki: mięso umyj, osusz i pokrój w cienkie paski lub małą kostkę. Posyp curry, słodką papryką, tymiankiem i podduś na patelni z rozgrzanym olejem do momentu, aż mięso się zetnie. Mozzarellę pokrój w grube plastry. Ser żółty zetrzyj na grubych oczkach. Plastry ananasa pokrój w małą kostkę.
- Rozgrzej piekarnik do 220 °C z termoobiegiem. Przełóż wyrośnięte ciasto na blachę i rozciągnij je w kształt koła o średnicy ok. 30 cm. Rozsmaruj sos na całej powierzchni ciasta (poza brzegami), posyp żółtym serem, połóż kawałki kurczaka, mozzarellę, kostki ananasa i posyp całość kukurydzą i oregano.
- Piecz na środkowym poziomie piekarnika przez ok. 12-15 minut, kontrolując stopień zrumienienia.

Składniki:

Ciasto:
1 ½ szklanki mąki pszennej
½ szklanki letniej wody
2 łyżki oleju rzepakowego
25 g świeżych drożdży lub 7 g instant
szczypta soli
opcjonalnie: ⅓ łyżeczki cukru

Sos:
3 łyżki koncentratu pomidorowego
1 ząbek czosnku
½ cebuli
1 łyżka oleju rzepakowego
1 płaska łyżeczka ziół prowansalskich
2 łyżki wody
szczypta pieprzu

Dodatki:
2 plastry ananasa
3 łyżeczki ugotowanych ziaren słodkiej kukurydzy
1 mały filet z piersi kurczaka (ok. 200 g)
mozzarella (ok. 100 g)
ser żółty, np. gouda (ok. 250 g)
1 łyżeczka suszonego oregano
½ łyżeczki curry w proszku
½ łyżeczki czerwonej papryki
⅓ łyżeczki suszonego tymianku
2 łyżki oleju rzepakowego

WARZYWNY OMLET Z KUSKUSEM

Liczba porcji: 4

Zanim zaczniesz:

Drobno pokrój paprykę, natkę i szczypiorek.

Wykonanie:

- Kuskus zalej ½ szklanki gorącego mleka. Przykryj i odstaw do napęcznienia.
- Do ostudzonej kaszy dodaj jajka, pozostałą część mleka, warzywa, mąkę i dokładnie wymieszaj.
- Rozgrzej posmarowaną olejem patelnię i wylej na nią ciasto. Smaż omlet z obu stron do zrumienienia.

Składniki:

3 jajka
1 szklanka mleka
1 łyżka mąki pszennej
¼ szklanki kaszy kuskus
½ czerwonej papryki
5 łodyżek szczypiorku
3 gałązki natki pietruszki
1 łyżka ugotowanego zielonego groszku
olej rzepakowy do smażenia

Opcja dla dorosłych:

Omlet można doprawić solą i pieprzem oraz szczyptą ostrej papryki w proszku.

Rada:

Omlet najwygodniej przewraca się na drugą stronę za pomocą talerza o takiej samej średnicy, co patelnia. Przyłóż go do patelni, a następnie obróć ją do góry dnem tak, by omlet znalazł się na talerzu, a następnie zsuń go ponownie na patelnię.

Rozdział 5

Czy jest coś słodkiego?

Nie ma co się oszukiwać – dzieci lubią słodki smak (w końcu takie właśnie jest mleko), a i dorośli chętnie sięgają po ciasteczka i lody. Nie musisz rezygnować ze słodkich przekąsek i deserów – domowe smakołyki można przygotować tak, żeby nie tylko zaspokoiły apetyt na słodycze, ale i były naprawdę pożywne. Świeże i suszone owoce, pełnoziarnista mąka i zdrowe dodatki sprawią, że bez wyrzutów sumienia będziecie sięgać po kolejne ciastko lub dokładkę deseru.

PUSZYSTE CIASTECZKA JAGLANE Z TWAROGIEM

Liczba sztuk: 16

Zanim zaczniesz:

Przygotuj mikser. Blachę wyłóż papierem do pieczenia.

Składniki:

½ szklanki kaszy jaglanej
2 szklanki wody
125 g twarogu
1 jajko
1 kopiasta łyżka mąki kukurydzianej
3 suszone daktyle
3 suszone morele

Wykonanie:

- Kaszę wypłucz w gorącej wodzie. Daktyle posiekaj i razem z kaszą wsyp do garnka z gotującą się wodą. Gotuj pod przykryciem przez ok. 20 minut na najmniejszym ogniu. Następnie przełóż kaszę do miski i pozostaw do ostygnięcia.
- Morele posiekaj w małą kostkę. Ostudzoną kaszę połącz z twarogiem, rozbełtanym jajkiem, mąką i morelami. Wymieszaj dokładnie mikserem.
- Dłonią nabieraj małe porcje ciasta i formuj kulki wielkości orzecha włoskiego (nie podsypuj ciasta mąką, nawet jeśli będzie się kleić).
- Układaj kulki na blaszce i spłaszczaj delikatnie dłonią, tworząc kształt grubego ciastka.
- Piecz przez ok. 25 minut w 180°C z termoobiegiem na środkowym poziomie piekarnika. Podawaj po ostygnięciu.

Opcja dla dorosłych:

Dosyp do ciasta kilka sztuk orzechów laskowych, a ciastka zyskają orzechowy smak i aromat.

Rada:

Ciastka dłużej zachowają świeżość, jeśli przechowasz je w szczelnie zamkniętym pojemniku.

CHRUPIĄCE CIASTKA MARCHEWKOWE

Liczba sztuk: 12

Zanim zaczniesz:

Blachę wyłóż papierem do pieczenia. Rodzynki zalej wodą i mocz przez 15 minut, a następnie odsącz. Daktyle posiekaj na drobne kawałki, zalej 2 łyżkami wody, odstaw na 15 minut, a następnie zblenduj z wodą, w której się moczyły. Przygotuj mikser.

Wykonanie:

- Do miski wbij jajko, dodaj masło i daktyle. Wymieszaj mikserem.
- Dodaj mąkę, płatki, cynamon, proszek do pieczenia, rodzynki oraz startą marchewkę i ponownie wymieszaj całość mikserem.
- Formuj z ciasta kulki wielkości orzecha włoskiego. Układaj je na blaszce w odstępach ok. 3 cm i delikatnie spłaszczaj.
- Piecz przez ok. 15 minut w 180 °C z termoobiegiem na środkowym poziomie piekarnika.

Składniki:

1 czubata szklanka marchwi startej na małych oczkach
½ szklanki płatków owsianych górskich
½ szklanki mąki pszennej (np. pełnoziarnistej)
½ szklanki rodzynek
4 suszone daktyle
1 jajko
2 łyżki miękkiego masła
½ łyżeczki cynamonu
1 łyżeczka proszku do pieczenia

Rada:

Jeśli chcesz, by ciastka miały delikatną konsystencję, możesz zmielić płatki owsiane przed dodaniem ich do ciasta.

JABŁECZNIK JAGLANY

Liczba porcji: 12

Zanim zaczniesz:

Wyłóż tortownicę lub formę do tarty (średnica ok. 22 cm) papierem do pieczenia lub posmaruj tłuszczem. Przygotuj blender.

Wykonanie:

- Kaszę jaglaną wypłucz dokładnie gorącą wodą. Daktyle opłucz i pokrój w małą kostkę. W garnku zagotuj wodę z mlekiem i wsyp kaszę z daktylami. Gotuj pod przykryciem na najmniejszym ogniu (nie mieszając i nie podnosząc pokrywki) przez 20 minut. Przełóż kaszę do miski i pozostaw do ostygnięcia.
- Banana obierz i pokrój na mniejsze kawałki. Letnią kaszę połącz z bananem, mąką, ½ łyżeczki cynamonu, ⅓ łyżeczki kardamonu i zblenduj na gładką masę. Przełóż masę do formy, dociśnij i wyrównaj powierzchnię łyżką.
- Jabłka obierz, przepołów, wydrąż gniazda nasienne, pokrój w małą kostkę. Na patelni rozgrzej masło, dodaj kawałki jabłek i duś pod przykryciem do miękkości. Gdy jabłka zaczną się rozpadać, dodaj ½ łyżeczki cynamonu, wymieszaj i trzymaj na ogniu, aż sok całkiem wyparuje. Rozgnieć jabłka widelcem i przełóż na masę z kaszy. Wyrównaj powierzchnię łyżką.
- Płatki migdałowe upraż na suchej patelni, posyp nimi jabłka i lekko dociśnij łyżką.
- Ciasto piecz przez 35 minut w 180 °C z termoobiegiem na środowym poziomie piekarnika. Podawaj po ostygnięciu.

Składniki:

¾ szklanki kaszy jaglanej
1 szklanka wody
1 szklanka mleka
5 kwaśnych jabłek
1 dojrzały banan
5 suszonych daktyli
1 łyżeczka cynamonu
⅓ łyżeczki kardamonu
1 ½ łyżki masła
2 kopiaste łyżki mąki ziemniaczanej
3 łyżki płatków migdałowych

Rada:

Dzieciom, które nie potrafią posługiwać się sztućcami, ciasto można pokroić w kostkę. Jeśli chcesz, by spód jaglany był cieńszy, wybierz formę o większych wymiarach i użyj więcej jabłek.

KRUCHE ROGALIKI

Liczba sztuk: 22

Zanim zaczniesz:

Przygotuj stolnicę i wałek. Blachę wyłóż papierem do pieczenia.

Składniki:

3 szklanki mąki pszennej
200 g masła
½ szklanki mleka
1 białko do posmarowania
około 10 łyżek powideł bez cukru
opcjonalnie: płatki migdałów do posypania

Wykonanie:

- Na stolnicę wysyp mąkę, dodaj pokrojone na kawałki masło i posiekaj wszystko nożem.
- Zagnieć mąkę z masłem, dolewając stopniowo mleko. Gdy z ciasta powstanie elastyczna kula, odłóż ją na około 30 minut do lodówki.
- Ciasto podziel na 3 części. Każdą z nich rozwałkuj na cienki, okrągły placek. Podziel go nożem na 8 trójkątów.
- Na szersze boki trójkątów nakładaj po łyżeczce powideł i zwijaj rogaliki. Brzegi lekko zawiń w półksiężyc i zaciśnij, by powidła nie wypłynęły.
- Ułóż rogaliki na blaszce, posmaruj rozbełtanym białkiem, posyp migdałami i piecz w temperaturze 180 °C z termoobiegiem przez 25-30 minut na środkowym poziomie piekarnika.

Rada:

Możesz też nadziać rogaliki gęstym musem z owoców. Ciasto powinno poleżeć trochę w lodówce (dzięki temu będzie po upieczeniu bardziej kruche), ale jeśli nie masz czasu, możesz tę czynność pominąć.

NAJPROSTSZE CIASTKA AMARANTUSOWE

Liczba sztuk: 7

Zanim zaczniesz:

Nastaw piekarnik na 170 °C z termoobiegiem. Blachę wyłóż papierem do pieczenia.

Wykonanie:

- Śliwki obierz ze skórki, przepołów, usuń pestki. Pokrój w kostkę.
- Banana rozgnieć widelcem na papkę. Połącz z amarantusem. Wymieszaj na jednolitą masę.
- Formuj kulki wielkości dużego orzecha włoskiego. Układaj je na blaszce, zachowując odstęp. W każdą kulkę wciskaj kilka kostek śliwki, rozpłaszczając ciasteczko.
- Piecz przez ok. 13-15 minut na środkowym poziomie piekarnika. Ciastka są gotowe, gdy się mocno zrumienią. Najlepiej smakują na zimno.

Składniki:

2 szklanki amarantusa ekspandowanego
1 bardzo dojrzały banan
3 śliwki

Rada:

Zamiast śliwek możesz użyć np. gruszek z kardamonem, jabłek prażonych z cynamonem, truskawek.
Amarantus ma bardzo specyficzny zapach i smak, możesz go zmienić, np. dosładzając ciastka syropem z suszonych owoców (s. 202).

SZYBKIE CIASTECZKA OWSIANE

Liczba sztuk: 7

Zanim zaczniesz:

Nastaw piekarnik na 180 °C z termoobiegiem. Blachę wyłóż papierem do pieczenia. Żurawinę zalej wodą, odstaw na 15 minut, a następnie odsącz.

Wykonanie:

- Żurawinę drobno posiekaj. Banana obierz i rozgnieć widelcem na papkę.
- W miseczce wymieszaj dokładnie płatki z bananem, żurawiną i wiórkami kokosowymi.
- Dłonie zwilż wodą, a następnie nabieraj niewielką ilość ciasta i formuj kulki wielkości orzecha włoskiego. Układaj kulki na blaszce i spłaszczaj je delikatnie, tworząc kształt ciastka.
- Piecz przez ok. 12-15 minut na środkowym poziomie piekarnika. Pod koniec pieczenia kontroluj stopień zrumienienia.

Opcja dla dorosłych:

Spakowane do pojemniczka mogą być słodką przekąską w pracy.

Składniki:

1 dojrzały banan
⅓ szklanki płatków owsianych górskich
⅓ szklanki wiórków kokosowych
2 łyżki suszonej żurawiny

Rada:

Bazą ciastek jest banan i płatki. Pozostałe składniki można dowolnie modyfikować. Możesz dodać zmielone lub prażone ziarna słonecznika, pestki dyni, zmielone orzechy, karob lub kakao, inne suszone owoce, syrop z suszonych owoców (s. 202).

RYŻOWE CIASTECZKA Z MORELOWYM OCZKIEM

Liczba sztuk: 25

Zanim zaczniesz:

Posiekaj morele i namocz w ciepłej wodzie przez 10 minut, a następnie odsącz. Przygotuj blender i głęboką miskę.

Wykonanie:

- Namoczone morele zalej 2 łyżkami wody i zblenduj na gładką masę.
- Do miski wsyp kleik ryżowy, amarantus, wiórki kokosowe. Dodaj do sypkich składników miękkie masło i jajka. Wyrób ciasto rękoma, aż składniki się połączą. Masa będzie bardzo zwarta.
- Formuj kulki wielkości orzecha włoskiego i spłaszczaj je. Na środku rób palcem spore wgłębienie.
- Ułóż ciastka w niewielkich odległościach od siebie na blaszce wyłożonej papierem do pieczenia.
- Wgłębienia w ciastkach wypełnij morelami.
- Piecz w piekarniku z termoobiegiem przez 20 minut w temperaturze 180 °C.

Składniki:

160 g kleiku ryżowego
2 jajka
200 g miękkiego masła
2 łyżki amarantusa ekspandowanego
5 łyżek wiórków kokosowych
5 suszonych moreli
2 łyżki wody

Rada:

Jeśli nie masz suszonych moreli, użyj innych suszonych lub świeżych owoców albo marmolady.

CIASTKA Z PESTKAMI DYNI I ORZECHAMI

Liczba sztuk: 16

Zanim zaczniesz:

Nastaw piekarnik na 190 °C z termoobiegiem. Blachę wyłóż papierem do pieczenia. Przygotuj blender.

Wykonanie:

- Banana obierz i rozgnieć widelcem. Słonecznik, pestki dyni i orzechy rozdrobnij w blenderze.
- Przełóż wszystkie składniki do miski i dokładnie wymieszaj.
- Zwilż dłonie i formuj z masy kulki wielkości orzecha włoskiego, a następnie rozpłaszczaj je na dłoni.
- Układaj ciastka na blaszce.
- Piecz 10-15 minut na środkowym poziomie piekarnika.

Opcja dla dorosłych:

Spakowane do pojemniczka mogą być słodką przekąską w pracy.

Składniki:

1 ½ szklanki łuskanego słonecznika
½ szklanki pestek dyni
½ szklanki dowolnych orzechów
2 małe dojrzałe banany

Rada:

Pod koniec pieczenia skontroluj stopień zrumienienia ciasteczek.
Zdejmuj ciasteczka z blachy dopiero po wystudzeniu.

MARKIZY KAKAOWE

Liczba sztuk: 14

Zanim zaczniesz:

Daktyle zalej gorącą wodą i pozostaw na ok. 15-20 minut. Następnie odsącz i zblenduj na gładki krem (dodaj w czasie blendowania 1 łyżeczkę wody). Mąkę przesiej przez sito. Płatki migdałowe zmiel na mąkę. 2 blachy wyłóż papierem do pieczenia.

Wykonanie:

- W dużej misce połącz: mąkę, migdały, proszek do pieczenia, zimne masło pokrojone w kostkę, jajko, zblendowane daktyle.
- Całość energicznie wyrabiaj rękoma na gładkie ciasto. Po chwili dodaj kakao lub karob oraz mleko i dalej wyrabiaj, aż uzyskasz miękką, jednolitą masę.
- Uformuj z ciasta 2 równe kule, zawiń każdą osobno w folię spożywczą i wstaw do lodówki na 30 minut.
- Przygotuj krem: daktyle i morele posiekaj w kostkę, zalej gorącą wodą i pozostaw na ok. 10 minut. Następnie odsącz wodę i zblenduj na krem.
- Połącz mascarpone z kremem z suszonych owoców i wymieszaj mikserem.
- Piekarnik nastaw na 180 °C z termoobiegiem. Wyjmij jedną porcję ciasta z lodówki. Posyp stolnicę mąką i rozwałkuj ciasto na placek grubości ok. 5 mm. Wykrawaj szklanką koła i układaj je w odstępach na blaszce. Podziurkuj delikatnie powierzchnię ciastek widelcem (tylko dla ozdoby). Piecz 10 minut w 180 °C z termoobiegiem. W tym czasie przygotuj ciastka z drugiej porcji ciasta.
- Pozostaw ciastka do ostygnięcia na kratce, a następnie posmaruj połowę z nich kremem (ok. ¾ łyżeczki na ciastko) i przykryj pozostałymi. Gotowe markizy pozostaw na 10 minut, aby zmiękły.

Składniki:

Ciastka:
1 ½ szklanki mąki pszennej tortowej plus do podsypania
1 jajko
125 g zimnego masła
1 łyżeczka proszku do pieczenia
2 łyżki płatków migdałowych
¼ szklanki kakao lub karobu
11 suszonych daktyli
2 łyżki mleka

Krem:
3 suszone morele
3 suszone daktyle
4 łyżki mascarpone (ok. 60 g)

Rada:

Gotowe ciastka przechowuj maksymalnie 2 dni w chłodnym miejscu, aby krem się nie zepsuł.

MUFFINKI BANANOWE

Liczba sztuk: 12

Zanim zaczniesz:

Rodzynki wsyp do szklanki, zalej wodą i mocz ok. 10 minut, a następnie odsącz. Nastaw piekarnik na 180 °C z termoobiegiem. Przygotuj dwie miski i foremki do muffinek.

Wykonanie:

- W pierwszej misce wymieszaj mąkę, proszek do pieczenia, sodę i cynamon.
- Banany obierz ze skóry i rozgnieć widelcem na papkę. Jajka wbij do szklanki i rozbełtaj widelcem.
- W drugiej misce wymieszaj: rozbełtane jajka, olej, rozgniecione banany, rodzynki.
- Połącz zawartość obu misek i dokładnie wymieszaj ciasto łyżką.
- Nałóż ciasto do foremek (do ¾ wysokości) i posyp babeczki płatkami migdałowymi.
- Piecz przez 15-18 minut na środkowym poziomie piekarnika.

Składniki:

2 bardzo dojrzałe banany
1 szklanka mąki pszennej (np. pełnoziarnistej)
2 jajka
½ szklanki oleju rzepakowego
1 płaska łyżeczka cynamonu
1 łyżeczka proszku do pieczenia
½ łyżeczki sody oczyszczonej
½ szklanki rodzynek
2 łyżki płatków migdałowych (do posypania)

Rada:

Rodzynki można wymienić na inne suszone owoce, np. daktyle czy morele, namoczone w wodzie i pokrojone w kostkę.

KLASYCZNE MUFFINKI Z OWOCAMI

Liczba sztuk: 12

Zanim zaczniesz:

Piekarnik nastaw na 180 °C z termoobiegiem.
Usuń szypułki z truskawek. Przygotuj foremki do muffinek. Masło rozpuść i ostudź.

Wykonanie:

- Połącz suche składniki: mąkę, proszek do pieczenia oraz sodę.
- Banana obierz i rozgnieć na papkę. Jajko rozbełtaj.
- Połącz mokre składniki: jajko, banana, masło, mleko. Wymieszaj i przelej do miski z suchymi składnikami.
- Wymieszaj ciasto łyżką, a następnie nakładaj do foremek do ⅔ wysokości. W każdą babeczkę wciśnij po jednej truskawce lub po 3 maliny (dziurkami po szypułkach do góry).
- Piecz przez ok. 20 minut na środkowym poziomie piekarnika.

Opcja dla dorosłych:

Część ciasta przed pieczeniem możesz dosłodzić.

Składniki:

2 szklanki mąki pszennej
1 szklanka mleka
100 g masła
1 jajko
1 łyżeczka proszku do pieczenia
½ łyżeczki sody oczyszczonej
1 duży dojrzały banan
12 dużych truskawek lub 1 szklanka malin

Rada:

Truskawki i maliny możesz zastąpić innymi świeżymi lub rozmrożonymi owocami, np. prażonym jabłkiem z cynamonem (pokrój jabłko w kostkę i podgotuj chwilę w małej ilości wody, posyp szczyptą cynamonu) lub gruszką.

MUFFINKI DYNIOWO-AMARANTUSOWE

Liczba sztuk: 15

Zanim zaczniesz:

Nastaw piekarnik na 200 °C z termoobiegiem. Przygotuj foremki do muffinek. Rodzynki zalej wodą, mocz ok. 10 minut, a następnie odsącz.

Wykonanie:

- W dużej misce wymieszaj suche składniki: wszystkie rodzaje mąk, proszek do pieczenia, sodę, cynamon, gałkę muszkatołową, 3 łyżki amarantusa.
- Banany obierz ze skóry i rozgnieć widelcem na papkę. Jajka wbij do szklanki i rozbełtaj widelcem.
- Do dużej miski dodawaj kolejno: puree z dyni, banany, jajka, olej, rodzynki. Dokładnie wymieszaj wszystkie składniki.
- Nakładaj ciasto do foremek (do ¾ wysokości) i posyp amarantusem ekspandowanym.
- Piecz przez 18-20 minut na środkowym poziomie.

Opcja dla dorosłych:

Jeśli lubisz bardzo słodkie babeczki, przed pieczeniem dodaj do porcji ciasta dla dorosłych łyżkę syropu.

Składniki:

1½ szklanki puree z dyni (s. 203)
1 szklanka mąki pszennej
po ½ szklanki mąki pszennej pełnoziarnistej i amarantusowej
2 jajka
1 dojrzały banan
½ szklanki oleju rzepakowego
1 łyżeczka proszku do pieczenia
½ łyżeczki sody
po 1 łyżeczce cynamonu i gałki muszkatołowej
6 łyżek amarantusa ekspandowanego
½ szklanki rodzynek

Rada:

Zamiast rodzynek możesz użyć innych suszonych owoców, np. daktyli czy moreli.

KUKURYDZIANE MUFFINKI JABŁKOWO-CUKINIOWE

Liczba sztuk: 14

Zanim zaczniesz:

Jabłko obierz, usuń gniazdo nasienne i zetrzyj na dużych oczkach. Cukinię obierz i zetrzyj na dużych oczkach tarki, a następnie odmierz jedną pełną szklankę. Odstaw na 10 minut, odciśnij z nadmiaru soku. Daktyle posiekaj na małe kawałki. Przygotuj foremki do muffinek i dwie miski.

Wykonanie:

- W jednej misce połącz suche składniki: mąkę, proszek do pieczenia, sodę, cynamon, orzechy, daktyle.
- W drugiej misce połącz mokre składniki: jajka, jabłko i cukinię, masło lub olej, jogurt.
- Połącz dokładnie zawartość misek i wymieszaj na jednolitą masę.
- Nakładaj ciasto do foremek (do ¾ wysokości). Piecz przez 18-20 minut, w piekarniku z termoobiegiem nagrzanym do 180 °C na środkowym poziomie.

Opcja dla dorosłych:

Część ciasta przed pieczeniem możesz dosłodzić.

Składniki:

1 ½ szklanki mąki kukurydzianej
2 jajka
1 duże słodkie jabłko
1 mała cukinia
⅓ szklanki stopionego masła lub oleju rzepakowego
4 suszone daktyle
½ szklanki jogurtu naturalnego (s. 199)
¾ łyżeczki proszku do pieczenia
¼ łyżeczki sody oczyszczonej
1 łyżeczka cynamonu
opcjonalnie:
2 łyżki drobno posiekanych orzechów laskowych

Rada:

Zamiast mąki kukurydzianej możesz użyć np. orkiszowej, owsianej czy pszennej. Cukinia musi być dobrze odsączona, aby nie powstał zakalec.

DAKTYLOWE SZYSZKI ZBOŻOWE

Liczba sztuk: 10

Zanim zaczniesz:

Przygotuj duży talerz.

Wykonanie:

- Zboża przełóż do głębokiej miski, wlej syrop i dokładnie wymieszaj.
- Zwilż ręce, formuj z powstałej masy kulki wielkości jajka i odkładaj je na talerz.
- Włóż szyszki do lodówki na co najmniej 4 godziny.

Składniki:

2 szklanki wybranych zbóż ekspandowanych (np. amarantus, gryka)
3 łyżki syropu daktylowego (s. 202)

Rada:

Im dłuższy czas schładzania, tym szyszki będą bardziej zwarte.

CIASTO MARCHWIOWO-ORZECHOWE

Wielkość porcji: średnia keksówka, ok. 22 cm

Zanim zaczniesz:

Wysmaruj keksówkę olejem. Nastaw piekarnik na temperaturę 180 °C z termoobiegiem.

Wykonanie:

- Wszystkie składniki przełóż do dużej miski i wymieszaj łyżką. Możesz użyć miksera, ale nie mieszaj zbyt długo.
- Przełóż ciasto do keksówki wysmarowanej olejem. Piecz na środkowym poziomie piekarnika przez 45-50 minut.

Składniki:

1 szklanka mąki pszennej
⅓ szklanki oleju kokosowego lub rzepakowego
2 jajka
1 szklanka marchewki startej na drobnych oczkach
⅔ szklanki mielonych orzechów (dowolnych)
2 łyżki syropu daktylowego
1 łyżeczka sody
½ łyżeczki proszku do pieczenia
1 ½ łyżeczki cynamonu
olej do natłuszczenia blaszki

DAKTYLOWE CIASTO RYŻOWE

Liczba porcji: ok. 15

Zanim zaczniesz:

Ryż przepłucz wodą. Keksówkę o długości ok. 30 cm natłuść masłem i wysyp mąką. Przygotuj mikser i tarkę.

Wykonanie:

- W garnku zagotuj mleko z wodą, dodaj opłukany ryż i gotuj pod przykryciem na małym ogniu (nie podnosząc pokrywki) przez ok. 40 minut, do całkowitego wchłonięcia płynu. Ugotowany ryż przełóż do dużej miski i pozostaw do ostygnięcia.
- Daktyle drobno posiekaj, gruszki obierz, usuń gniazda nasienne i zetrzyj na dużych oczkach.
- Jajka zmiksuj z mąką i olejem, dodaj posiekane daktyle. Połącz masę z ryżem, dodaj startą gruszkę i całość ponownie wymieszaj mikserem.
- Przełóż ciasto do formy i wygładź powierzchnię łyżką.
- Piecz w 180°C z termoobiegiem przez 50 minut na środkowym poziomie piekarnika.

Składniki:

1 ½ szklanki ryżu
2 szklanki mleka
1 szklanka wody
6 suszonych daktyli
2 słodkie gruszki
3 jajka
3 łyżki oleju rzepakowego plus do natłuszczenia foremki
4 kopiaste łyżki mąki pszennej plus do wysypania foremki
1 łyżka wiórków kokosowych

Rada:

Ciasto wyjmij z foremki dopiero po całkowitym ostygnięciu, pokrój i posyp wiórkami kokosowymi.

STRUCLA DROŻDŻOWA Z TWAROGIEM

Liczba porcji: 12

Zanim zaczniesz:

Rozpuść i ostudź masło. Blachę wyłóż papierem do pieczenia.

Wykonanie:

- Dodaj do letniego mleka pokruszone drożdże, cukier (niekoniecznie) i dokładnie wymieszaj. Odstaw na 15 minut w ciepłe miejsce. Drożdże instant wystarczy wymieszać z mąką.
- Do dużej miski przesyp mąkę, wbij jajko i wlej schłodzone masło. Dodaj mleko z drożdżami, wymieszaj i dokładnie wyrób na gładkie ciasto (ręką lub mikserem z hakami). Odstaw je na 30 minut w ciepłe miejsce, by wyrosło.
- Przygotuj nadzienie: przełóż twaróg do miski, dodaj żółtko, cynamon i syrop lub miód, rozgnieć wszystko widelcem. Dodaj rodzynki i wymieszaj.
- Podziel ciasto na dwie części. Z każdej uformuj cienki (ok. 3 mm) prostokątny placek, na który nałóż połowę nadzienia. Zwijaj ciasto jak roladę szeroką stroną, a następnie połóż na blaszce brzegiem do dołu. Obie strucle pokrój na 3 cm kawałki, nie rozdzielając ich. Przy pomocy pędzelka posmaruj każdą rozbełtanym białkiem.
- Piecz strucle w 200 °C z termoobiegiem na środkowym poziomie piekarnika przez około 15-20 minut (do zrumienienia).

Opcja dla dorosłych:
Spakowane do pojemniczka mogą być słodką opcją drugiego śniadania.

Składniki:

Ciasto:
1 ½ szklanki mąki pszennej
½ szklanki letniego mleka
½ łyżeczki cukru (opcjonalnie)
25 g świeżych drożdży lub 7 g instant
1 jajko plus białko
100 g masła

Nadzienie:
300 g twarogu
1 żółtko
1 łyżka syropu daktylowego **(s. 202)** **lub miodu**
½ łyżeczki cynamonu
1 łyżka rodzynek

Rada:

Do strucli możesz użyć różnego nadzienia, np. powideł lub owoców.

MURZYNEK Z WIŚNIAMI

Liczba porcji: 12

Zanim zaczniesz:

Małą tortownicę (ok. 23 cm) lub blachę wyłóż papierem do pieczenia. Przygotuj blender, mikser i dużą miskę.

Wykonanie:

- Daktyle i śliwki posiekaj, zalej gorącą wodą i pozostaw do namoczenia przez 30 minut, a następnie zblenduj razem z wodą na gładką masę.
- Mleko połącz z wodą i zagotuj. Kaszę jaglaną wypłucz gorącą wodą, a następnie wsyp do wrzątku i gotuj pod przykryciem na bardzo małym ogniu przez ok. 20 minut. Przełóż kaszę do miski i pozostaw do ostygnięcia.
- W dużej misce połącz ostudzoną kaszę, żółtka, zmiksowane suszone owoce, kakao lub karob, sodę oraz olej. Wymieszaj składniki mikserem na jednolitą masę.
- Białka ubij na sztywną pianę i delikatnie przełóż do masy jaglanej. Wymieszaj łyżką i dodaj wiśnie. Ponownie wymieszaj.
- Całość przełóż do formy i posyp amarantusem.
- Piecz przez ok. 50 minut w temperaturze 180°C z termoobiegiem, na środkowym poziomie piekarnika, a następnie pozostaw do całkowitego ostygnięcia. Pokrój ciasto na porcje.

Składniki:

¾ szklanki kaszy jaglanej
1 szklanka mleka
1 ½ szklanki wody
4 łyżki kakao lub karobu
10 suszonych daktyli
8 suszonych śliwek
¾ szklanki gorącej wody (do namoczenia suszonych owoców)
3 łyżki oleju rzepakowego
3 jajka (osobno żółtka i białka)
1 ½ szklanki wiśni bez pestek
1 łyżeczka cynamonu
½ łyżeczki sody oczyszczonej
opcjonalnie:
2 łyżeczki amarantusa ekspandowanego

Rada:

Wiśnie możesz zastąpić innymi kwaskowymi owocami, np. śliwkami (6 sztuk). Wyjmij pestki, pokrój śliwki w ćwiartki i ułóż je na wierzchu ciasta.

BUDYŃ WANILIOWO-BANANOWY

Liczba porcji: 3

Zanim zaczniesz:

Laskę wanilii rozetnij wzdłuż i nożem wyskrob z niej ziarenka. Banany obierz i zblenduj lub rozgnieć widelcem na papkę.

Wykonanie:

- Do garnka wlej 1½ szklanki mleka, dodaj masło, pustą laskę wanilii i zagotuj całość, a następnie zmniejsz ogień.
- Mąkę, ziarenka wanilii i żółtko wymieszaj dokładnie z ½ szklanki mleka. Wyjmij pustą laskę wanilii z gotującego się mleka, a następnie wlewaj mieszankę bardzo powoli do garnka, cały czas mieszając rózgą. Gdy budyń zgęstnieje, zmniejsz ogień, dodaj banany i dalej mieszaj. Gotuj budyń jeszcze przez ok. 1 minutę.
- Przelej gorący budyń do opłukanych zimną wodą miseczek. Podawaj na ciepło lub na zimno.

Opcja dla dorosłych:

Budyń możesz dosłodzić, np. miodem.

Składniki:

2 szklanki mleka
1½ kopiastej łyżki mąki ziemniaczanej
1 łyżka masła
2 banany
½ laski wanilii
1 żółtko

Rada:

Budyń doskonale komponuje się z ciepłym musem truskawkowym – owoce wystarczy zmiksować i podgrzać.

DOMOWY KISIEL Z OWOCAMI LATA

Liczba porcji: 4

Zanim zaczniesz:

Truskawki obierz z szypułek. Jabłka obierz, przekrój na pół, usuń gniazda nasienne i zetrzyj na dużych oczkach.

Wykonanie:

- Wiśnie i starte jabłka przełóż do garnka, zalej 2 szklankami wody i doprowadź do wrzenia. Gotuj przez ok. 10 minut, aż owoce zmiękną. Odcedź owoce, a płyn ponownie zagotuj.
- Mąkę ziemniaczaną wymieszaj w ½ szklanki wody.
- Do gotującego się na małym ogniu płynu wlewaj cienkim strumieniem rozpuszczoną mąkę ziemniaczaną, cały czas mieszając rózgą. Zagotuj kisiel, a następnie dodaj maliny lub pokrojone na ćwiartki truskawki.
- Gotuj kisiel z owocami przez ok. 2 minuty, a następnie przelej do miseczek (opłukanych wcześniej zimną wodą).

Opcja dla dorosłych:

Kisiel w trakcie gotowania możesz dosłodzić.

Składniki:

2 ½ szklanki wody
1 ½ szklanki wiśni bez pestek
2 słodkie jabłka
½ szklanki truskawek lub malin
1 kopiasta łyżka mąki ziemniaczanej

Rada:

Kisiel możesz podać na ciepło lub zimno, np. z dodatkiem jogurtu naturalnego (s. 199).
Możesz użyć również innych świeżych lub mrożonych owoców.
Kisiel w tych proporcjach jest płynny. Jeśli chcesz uzyskać gęstszą konsystencję, użyj 2 łyżek mąki ziemniaczanej.

PANNA COTTA Z KASZKI MANNY

Liczba porcji: 4

Zanim zaczniesz:

Przygotuj garnek i 4 filiżanki.

Składniki:

1 ¼ szklanki mleka
½ szklanki kaszki manny
½ laski wanilii
¼ szklanki malin

Wykonanie:

- Do garnka wlej mleko. Pół laski wanilii natnij wzdłuż nożem i łyżeczką zeskrob nasionka. Dodaj je do mleka razem z laską.
- Mleko doprowadź do wrzenia i wsyp kaszkę mannę. Zamieszaj rózgą, by nie było grudek. Gotuj około 4 minut, ciągle mieszając. Wyjmij laskę wanilii.
- Gorącą kaszkę przełóż do filiżanek, ostudź i odstaw do lodówki na co najmniej 2 godziny.
- Owoce zblenduj na mus.
- Wyjmij filiżanki z lodówki i wstaw je na chwilę do gorącej wody, a następnie odwróć do góry dnem, by deser wysunął się na talerzyk. Polej każdą porcję musem z malin.

Opcja dla dorosłych:

Kaszkę możesz dosłodzić 1 łyżką syropu klonowego.

Rada:

Sos do deseru możesz przygotować z innych owoców, najlepiej sezonowych, np. z truskawek lub jagód.

Rozdział 6

Mamo, tato, święto!

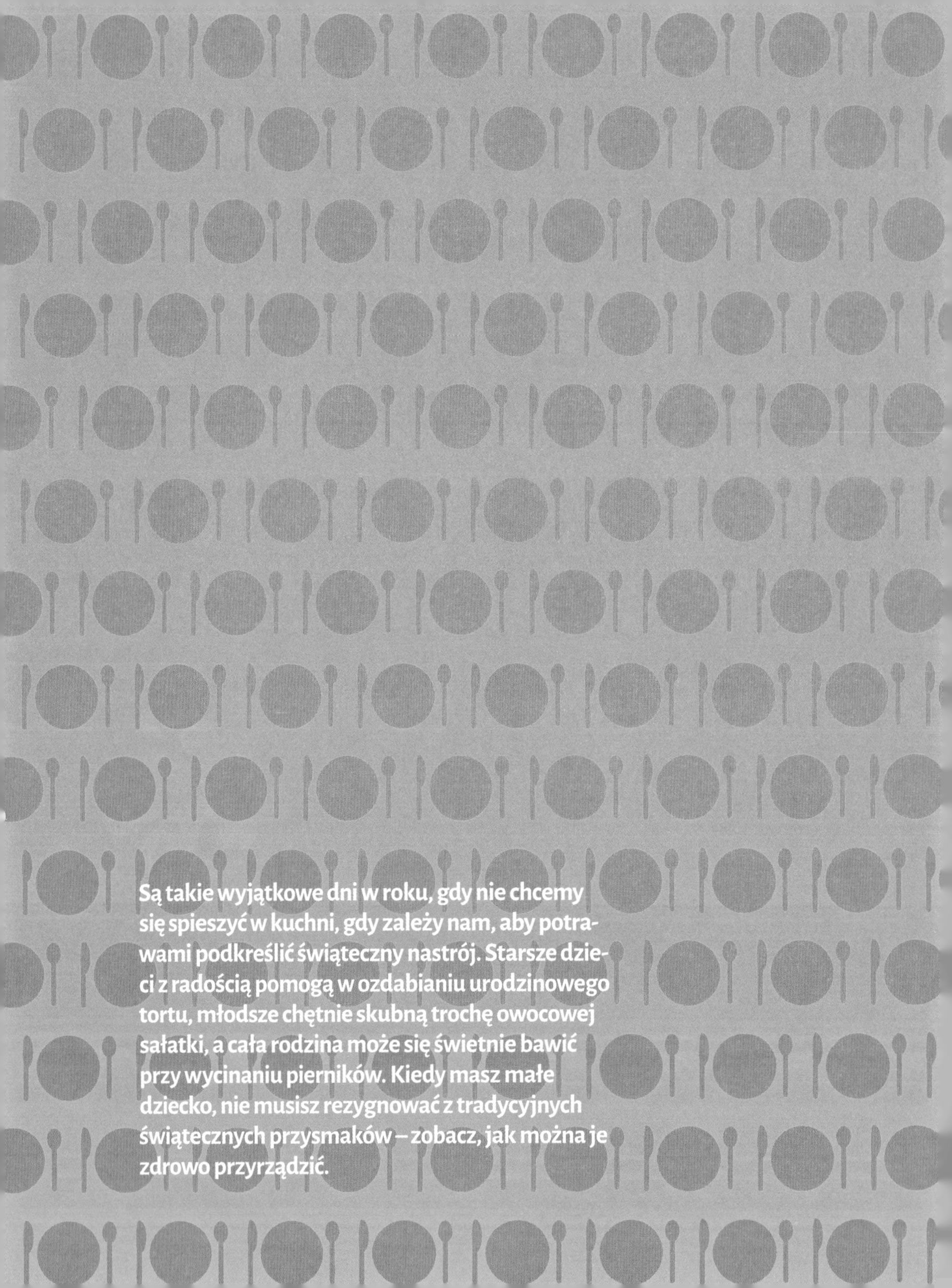

Są takie wyjątkowe dni w roku, gdy nie chcemy się spieszyć w kuchni, gdy zależy nam, aby potrawami podkreślić świąteczny nastrój. Starsze dzieci z radością pomogą w ozdabianiu urodzinowego tortu, młodsze chętnie skubną trochę owocowej sałatki, a cała rodzina może się świetnie bawić przy wycinaniu pierników. Kiedy masz małe dziecko, nie musisz rezygnować z tradycyjnych świątecznych przysmaków – zobacz, jak można je zdrowo przyrządzić.

PIEROGI Z KASZĄ GRYCZANĄ

Liczba sztuk: ok. 50

Zanim zaczniesz:

Masło rozpuść i pozostaw do ostygnięcia. Przygotuj stolnicę, wałek i szklankę. Cebulę obierz, posiekaj i zeszklij z łyżką oleju na patelni.

Wykonanie:

- Przygotuj farsz: kaszę wypłucz i gotuj pod przykryciem, aż wchłonie cały płyn (ok. 15 minut). Do ostudzonej kaszy dodaj twaróg i zeszkloną cebulę wraz z olejem. Wymieszaj wszystko dokładnie.
- Przygotuj ciasto: na stolnicę wysyp mąkę, dodaj do niej rozpuszczone masło i lekko wymieszaj, a następnie powoli wlewaj wodę, ciągle mieszając, by składniki się lekko połączyły. Wyrabiaj ciasto, aż stanie się elastyczne. Jeśli nadal klei się do ręki – dodaj mąki. Jeśli jest za suche – odrobinę gorącej wody.
- Odkrawaj kawałki ciasta i rozwałkuj je na grubość 3-4 mm, a następnie wycinaj kółka szklanką.
- Na każde kółko nałóż po ½ łyżeczki farszu, złóż je i sklejaj brzegi palcami.
- Gotowe pierogi wrzucaj do wrzącej wody i gotuj ok. 3 minut od wypłynięcia.

Opcja dla dorosłych:

Farsz na pierogi możesz doprawić solą i pieprzem.

Składniki:

Ciasto:
2 szklanki mąki pszennej
50 g masła
½ szklanki gorącej wody

Farsz:
¼ szklanki kaszy gryczanej palonej
½ szklanki wody
3 łyżki twarogu
½ cebuli
1 łyżka oleju rzepakowego

Rada:

Pierogi możesz podać z roztopionym masłem.

URODZINOWY TORT GRUSZKOWY

Wielkość porcji: tortownica o średnicy 18 cm

Zanim zaczniesz:

Wyjmij jajka z lodówki na 3 godziny przed przygotowaniem tortu. Przygotuj mikser i sito do przesiania mąki. Małą tortownicę (o średnicy 18 cm) wyłóż papierem do pieczenia (tylko spód).

Wykonanie:

Biszkopt

- Nastaw piekarnik na 170 °C z termoobiegiem. Białka ubij mikserem na sztywno, dalej mieszając, dodawaj po łyżeczce cukier, a następnie po jednym żółtku.
- Wymieszaj obie mąki z proszkiem. Przesiewaj mieszankę do ubitych jajek, mieszając masę łyżką albo szpatułką – powoli i delikatnie, aby nie straciła objętości.
- Przelej gotową masę do formy i od razu wstaw do nagrzanego piekarnika. Piecz ok. 30 minut (do suchego patyczka).
- Gotowy biszkopt wyjmij z formy, połóż na wilgotną ściereczkę i poczekaj, aż całkiem ostygnie.
- Nożem lub struną do cięcia ciast podziel biszkopt na 3 blaty.

Krem

- Gruszki obierz, przekrój na pół, wyjmij gniazda nasienne i pokrój w małą kostkę. Obficie skrop sokiem z cytryny. Rozdziel na dwie równe części i wstaw do lodówki.
- Otwórz puszki ze schłodzonym mlekiem i odsącz. Gęstą masę przełóż do miski i mieszaj mikserem (na najmniejszych obrotach) przez ok. 1-2 minuty do uzyskania konsystencji bitej śmietany. Podczas ubijania dodawaj stopniowo mascarpone, aby powstał jednolity krem.

Składniki:

Biszkopt:
3 jajka (osobno białka i żółtka)
½ szklanki mąki pszennej
1 łyżka mąki ziemniaczanej
½ łyżeczki proszku do pieczenia
4 łyżki cukru

Krem:
2 duże puszki (po 400 ml) mocno schłodzonego mleka kokosowego (patrz: rady na następnej stronie)
500 g mascarpone (można je zastąpić dodatkową puszką mleka kokosowego)

Pozostałe składniki:
ok. 9 łyżeczek bardzo gęstego syropu daktylowego (s. 202)
3 łyżeczki kakao lub karobu
2 gruszki
½ cytryny
1 szklanka zaparzonej herbaty rooibos

do dekoracji:
wiórki kokosowe, kilka listków melisy lub mięty

- Podziel krem na trzy równe części i jedną z nich od razu wstaw do lodówki.
- Jedną część kremu wymieszaj mikserem z 3 łyżeczkami syropu daktylowego i kakao lub karobem. Pokrojone gruszki dodaj i wymieszaj łyżką. Wstaw na chwilę do lodówki.
- Kolejną część kremu wymieszaj z drugą porcją gruszek i 3 łyżeczkami syropu. Wstaw do lodówki.
- Pierwszy blat biszkoptu skrop 4 łyżkami herbaty i rozprowadź na nim brązowy krem. Przykryj drugim blatem, skrop 4 łyżkami herbaty i rozprowadź na nim biały krem. Przykryj ostatnim blatem i również skrop go 4 łyżkami herbaty.
- Wyjmij pozostały krem z lodówki (możesz dodać 3 łyżeczki syropu daktylowego). Posmaruj kremem boki i wierzch tortu. Wygładź powierzchnię zwilżonym ciepłą wodą szerokim nożem.
- Boki tortu obficie posyp wiórkami, wierzch posyp kakao lub karobem i udekoruj listkami.

Rada:

Wybierz mleko w puszce, które już w sklepie ma stałą, a nie ciekłą konsystencję. Puszkę z mlekiem kokosowym przechowuj wcześniej w lodówce min. 1-2 dni. Płynną zawartość puszki odsącz, użyj tylko pozostałej gęstej masy. Możesz zrobić tort tylko z białym kremem. Owoce możesz wymienić na np. ananasa, kiwi, jagody, truskawki, nektarynki, maliny, borówki, wiśnie, mango.
Wiórki kokosowe możesz zastąpić płatkami migdałowymi. Schładzaj tort co najmniej 2 godziny przed podaniem.

NUGGETSY Z KURCZAKA

Liczba porcji: 8

Zanim zaczniesz:

Mięso umyj i dokładnie osusz. Przygotuj blender lub młynek do mielenia. Tymianek, rozmaryn i płatki kukurydziane zmiel (osobno) na proszek. Blachę wyłóż papierem do pieczenia.

Wykonanie:

- Kurczaka pokrój w paski długości ok. 5 cm i grubości ok. 2 cm i podziel na dwie części.
- Pierwszą porcję mięsa przełóż do miski i dodaj: 2 łyżeczki słodkiej papryki, 1 łyżeczkę rozmarynu i 1 łyżkę oliwy. Dokładnie wymieszaj i odstaw.
- Drugą porcję mięsa przełóż do drugiej miski i dodaj: 2 łyżeczki curry, 1 łyżeczkę tymianku i 1 łyżkę oliwy. Dokładnie wymieszaj i odstaw.
- Zmielone płatki przesyp do trzeciej miseczki.
- Do czwartej miseczki wbij 2 jajka i rozbełtaj je.
- Panieruj kawałki kurczaka w jajku, a następnie w zmielonych płatkach i układaj w małych odstępach na blaszce. Piecz przez ok. 20 minut w 180 °C z termoobiegiem na środkowym poziomie piekarnika. Sprawdź po 15 minutach, czy danie jest gotowe.

Opcja dla dorosłych:

Przed panierowaniem porcję mięsa dla dorosłych możesz posypać małą ilością soli.

Składniki:

filet z piersi kurczaka (ok. 1 kg)
3 szklanki płatków kukurydzianych
2 jajka
2 łyżki oliwy
2 łyżeczki słodkiej papryki w proszku
1 łyżeczka suszonego rozmarynu
2 łyżeczki curry w proszku
1 łyżeczka suszonego tymianku

Rada:

Kontroluj długość pieczenia mięsa. Im krócej będzie w piekarniku, tym będzie bardziej soczyste i miękkie.
Podawaj z ulubionym sosem np. jogurtowo-czosnkowym lub ziołowym (s. 199).
Nuggetsy smakują zarówno na ciepło, jak i na zimno.
Doskonale sprawdzą się jako szybka i smaczna przekąska na niejednej dziecięcej imprezie, np. urodzinach czy pikniku.

PASZTECIKI Z KAPUSTĄ

Liczba sztuk: ok. 35

Zanim zaczniesz:

Blachę wyłóż papierem do pieczenia. Przygotuj stolnicę, wałek i ewentualnie mikser do wyrobienia ciasta.

Wykonanie:

- Przygotuj rozczyn: drożdże pokrusz i przełóż do kubka, dodaj ¼ szklanki letniego mleka i wymieszaj. Dodaj 3 łyżki mąki, szczyptę cukru (niekoniecznie), wymieszaj i odstaw na ok. 30 minut w ciepłe miejsce. Drożdże instant wystarczy wymieszać z mąką.
- Cebulę obierz i pokrój w kostkę. Marchew obierz i zetrzyj na tarce. Kapustę poszatkuj. W garnku zeszklij cebulę na odrobinie oleju, dodaj kapustę, marchew i zalej całość wodą. Duś pod przykryciem (od czasu do czasu mieszając) przez 20 minut. Dodaj kminek i duś, aż kapusta zmięknie.
- W misce połącz resztę mąki, jajka, rozczyn, roztopione masło, ¾ szklanki mleka. Wymieszaj dokładnie, a następnie wyrabiaj przez kilka minut do uzyskania jednolitej masy (możesz użyć miksera). Przykryj miskę ściereczką i odstaw w ciepłe miejsce na ok. 40-50 minut do wyrośnięcia.
- Ciasto rozwałkuj i pokrój w prostokąty o szerokości 10 cm. Wzdłuż dłuższego boku każdego prostokąta nałóż farsz na całej długości i zwiń w rulon. Układaj rulony na blaszce, brzegiem do dołu.
- Jajko rozbełtaj z mlekiem, a następnie posmaruj każdy rulon masą jajeczną i posyp sezamem.
- Przygotowane rulony piecz przez 15-20 minut (do zrumienienia) w 180°C z termoobiegiem na środkowym poziomie piekarnika. Po upieczeniu pokrój po skosie na małe paszteciki.

Składniki:

Ciasto:
3 szklanki mąki pszennej plus do podsypania ciasta
2 łyżki roztopionego masła
1 szklanka ciepłego mleka
2 jajka
15 g świeżych drożdży lub 7 g instant
opcjonalnie: szczypta cukru

Farsz:
½ kg kiszonej kapusty
1 mała marchewka
1 mała cebula
½ łyżeczki nasion kminku
1 łyżka oleju rzepakowego
½ szklanki wody

Na wierzch:
1 jajko
1 łyżka mleka
1 łyżki sezamu

PIERNICZKI BOŻONARODZENIOWE

Liczba sztuk: ok. 100

Zanim zaczniesz:

Blachę wyłóż papierem do pieczenia. Przygotuj stolnicę, wałek i foremki do wykrawania pierników.

Wykonanie:

- W garnku rozpuść miód i masło, zagotuj, wymieszaj i pozostaw do ostygnięcia.
- W dużej misce połącz suche składniki: mąkę, przyprawę do piernika, kakao lub karob, proszek do pieczenia. Dodaj rozbełtane jaja, wlej ostudzony miód z masłem.
- Wymieszaj wszystkie składniki i wyrabiaj ciasto rękoma, aż będzie gładkie i elastyczne.
- Odrywaj kawałki ciasta i kolejno rozwałkowuj je na stolnicy oprószonej mąką, na grubość ok. 5 mm. Wykrawaj foremką pierniczki i układaj je na blaszce, zachowując niewielkie odstępy.
- Pierniki piecz w 180 °C z termoobiegiem na środkowym poziomie piekarnika, przez 7-8 minut.

Opcja dla dorosłych:

Gotowe pierniczki możesz udekorować lukrem i posypać płatkami migdałowymi.

Składniki:

1 szklanka płynnego miodu
125 g masła
3 ½ szklanki mąki pszennej plus mąka do podsypania ciasta
2 jajka
2 kopiaste łyżki przyprawy do piernika
2 kopiaste łyżki kakao lub karobu
2 płaskie łyżki proszku do pieczenia
1 łyżeczka amoniaku

Rada:

Miód sprawia, że pierniki po upieczeniu będą twarde. Aby zmiękły, przełóż je do zamykanego pojemnika i połóż na wierzch kawałki chleba lub obranego jabłka. Po 2 dniach wymień kawałki chleba lub jabłka na nowe.
Pierniczki możesz wykonać również z mąki orkiszowej lub wymieszać 2 ½ szklanki mąki pszennej z 1 szklanką mąki orkiszowej.

CZEKOLADOWE BABECZKI Z KREMEM

Liczba sztuk: 12

Zanim zaczniesz:

Przygotuj rękaw cukierniczy i foremki do muffinek. Piekarnik nastaw na 180 °C z termoobiegiem.

Wykonanie:

- Banany obierz ze skóry i rozgnieć widelcem na papkę. Daktyle drobno posiekaj. Jajka wbij do szklanki i rozbełtaj widelcem.
- Do dużej miski wsyp kolejno suche składniki: mąkę pszenną i orkiszową, proszek do pieczenia, sodę, kakao lub karob. Wymieszaj, a następnie dodaj pozostałe składniki: rozbełtane jajka, olej, rozgniecione banany i posiekane daktyle. Wymieszaj dokładnie wszystkie składniki.
- Nakładaj ciasto do foremek do ¾ wysokości i w każdą foremkę wciskaj po 2 wiśnie (mają być całkowicie zanurzone w cieście). Piecz przez 18-20 minut na środkowym poziomie piekarnika. Pozostaw do ostygnięcia.
- Przygotuj krem: zmiksuj mleko kokosowe (tylko gęstą masę) i mascarpone. Przełóż do rękawa cukierniczego i udekoruj masą każdą babeczkę. Na szczyt kremowego kleksa połóż wiśnię bez pestki.

Składniki:

2 bardzo dojrzałe banany
½ szklanki mąki pszennej
½ szklanki mąki orkiszowej
2 jajka
½ szklanki oleju rzepakowego
2 kopiaste łyżeczki kakao lub karobu
½ łyżeczki sody oczyszczonej
1 łyżeczka proszku do pieczenia
4 suszone daktyle
2 szklanki wiśni bez pestek
8 łyżek mascarpone
duża puszka mocno schłodzonego mleka kokosowego (400 ml)

Rada:

Babeczki można udekorować świeczkami i podać jako minitorciki.
Wybierz mleko, które ma stałą konsystencję. Sprawdzisz to, potrząsając puszką – jeśli jest ciężka i nie słychać przelewania płynu, to znak, że jest odpowiednie. Puszkę z mlekiem przechowuj wcześniej w lodówce min. 1-2 dni. Płynną zawartość puszki odsącz, użyj tylko pozostałej gęstej masy.

WIGILIJNY KOMPOT Z SUSZONYCH OWOCÓW

Liczba porcji: 6

Zanim zaczniesz:

Suszone owoce wypłucz w gorącej wodzie.

Wykonanie:

- Pomarańczę obierz ze skóry i pokrój w plasterki. W dużym garnku zalej zimną wodą suszone owoce. Dodaj goździki, cynamon, kawałki pomarańczy i kawałek skórki pomarańczy.
- Gotuj kompot na średnim ogniu, do momentu, aż owoce zmiękną, a płyn zgęstnieje (ok. 40 minut).
- Dodaj do smaku kilka kropel soku z cytryny i odstaw kompot do ostygnięcia.

Składniki:

2 litry wody
1 szklanka suszonych śliwek
1 szklanka suszonych jabłek
10 suszonych moreli
4 suszone figi
2 łyżki rodzynek
⅓ łyżeczki cynamonu
2 goździki
½ pomarańczy
½ cytryny

PYSZNE LODY ANANASOWO-KOKOSOWE

Zanim zaczniesz:

Przygotuj blender. Obierz ananasa ze skóry, usuń twardy środek. Przygotuj foremki do lodów.

Wykonanie:

- Ananasa pokrój na kawałki i zblenduj na mus.
- Do musu dodaj mleko kokosowe i drobno posiekane listki mięty. Wszystko dokładnie wymieszaj.
- Przelej powstałą masę do foremek i wstaw je do zamrażalnika na ok. 12 godzin.

Składniki:

1 szklanka mleka kokosowego
½ ananasa
kilka listków świeżej mięty

Rada:

Możesz użyć dowolnych foremek. W sklepach są dostępne wygodne dla dzieci foremki do lodów na patyku.

RYBA PO GRECKU

Liczba porcji: 6

Zanim zaczniesz:

Umyj i osusz rybę. Upewnij się, że nie ma ości. Pokrój ją na mniejsze kawałki, skrop obficie sokiem z cytryny i odstaw do lodówki. Blachę wyłóż papierem do pieczenia. Nastaw piekarnik na 200°C z termoobiegiem.

Wykonanie:

- Obierz warzywa. Marchewkę i seler zetrzyj na grubych oczkach, cebulę pokrój w piórka, paprykę w kostkę, por w półplasterki, czosnek wyciśnij przez praskę.
- Wyjmij rybę z lodówki i ułóż na blaszce. Włóż do piekarnika i piecz mniej więcej przez 15 minut. Wyjmij i przełóż na półmisek.
- Marchewkę, seler, cebulę i por podsmażaj rozgrzanym oleju . Smaż przez chwilę, a następnie przykryj i duś przez 10 minut. Dodaj paprykę i przyprawy. Duś nadal przez 15 minut. Zalej warzywa przecierem pomidorowym, dodaj czosnek i duś jeszcze przez ok. 5 minut.
- Przykryj rybę ciepłymi warzywami, ozdób posiekaną natką pietruszki.

Opcja dla dorosłych:

Warzywa i rybę możesz doprawić solą i pieprzem.

Składniki:

1 kg filetu z dorsza/mintaja/ morszczuka bez skóry
4 marchewki
½ pora (biała część)
½ selera
2 cebule
1 duża papryka czerwona
1 szklanka przecieru pomidorowego
3 ząbki czosnku
2 liście laurowe
4 ziarna ziela angielskiego
sok z 1 cytryny
2 łyżki oleju rzepakowego

Rada:

Rybę możesz usmażyć, panierując ją uprzednio w mące i jajku.

SERNICZKI BANANOWE

Liczba sztuk: 12

Zanim zaczniesz:

Umyj jajka i obierz banany. Przygotuj mikser. Przygotuj foremki do muffinek, nastaw piekarnik na 160 °C bez termoobiegu.

Wykonanie:

- Do wysokiej miski przełóż twaróg, dodaj jajka, mąkę i rozgniecione widelcem banany. Laskę wanilii rozetnij wzdłuż i łyżeczką zeskrob miąższ. Dodaj go do masy.
- Miksuj na niewielkich obrotach do momentu, aż wszystkie składniki dokładnie się połączą. Wmieszaj rodzynki.
- Płatki wymieszaj z masłem. Na spód foremek wyłóż masę płatkową na grubość ok. ½ cm i dociśnij łyżeczką, a na nią wykładaj łyżką ciasto, aby zapełniło niemal całą foremkę.
- Piecz przez mniej więcej 35 minut na środkowym poziomie piekarnika. Pozostaw do ostygnięcia w uchylonym piekarniku.

Opcja dla dorosłych:

Część masy serowej przed pieczeniem możesz dosłodzić.

Składniki:

Serniczki:
500 g twarogu sernikowego
2 jajka
2 banany
2 łyżki mąki ziemniaczanej
1 laska wanilii
1 łyżka rodzynek

Spód:
6 łyżek zmielonych płatków owsianych
1 łyżka miękkiego masła

Rada:

Wyjmując serniczki z foremek, rób to delikatnie, gdyż ciepłe serniczki będą bardzo miękkie. Z papilotek serniczki wyjmuj dopiero po ostudzeniu, a wówczas będą idealnie odchodziły od papierka.

JAJKA FASZEROWANE

Liczba porcji: 8

Zanim zaczniesz:

Ugotuj jajka na twardo i wystudź.

Wykonanie:

- Obierz jajka i przepołów je wzdłuż. Łyżeczką wyjmij żółtka i przełóż je do miseczki. Do żółtek dodaj jogurt i rozgnieć widelcem na gładką masę.
- Rzodkiewki zetrzyj na tarce o najmniejszych oczkach, szczypiorek bardzo drobno pokrój, koperek posiekaj, szynkę pokrój w bardzo drobną kosteczkę. Dodaj wszystko do masy jajecznej i wymieszaj.
- Ułóż białka jajek na talerzu i łyżeczką nakładaj farsz do wgłębień po żółtku. Podawaj posypane startą na grubych oczkach papryką.

Składniki:

4 jajka
2 rzodkiewki
2 łodyżki szczypiorku
1 gałązka koperku
1 plasterek szynki
¼ czerwonej papryki
1 łyżka jogurtu naturalnego (s. 199)

Opcja dla dorosłych:

Farsz jajeczny możesz doprawić solą i pieprzem oraz dodać do niego pokrojony w drobną kostkę żółty ser.

Rada:

Jogurt możesz zastąpić także majonezem.

ŚWIĄTECZNA SZYNKA GOTOWANA

Zanim zaczniesz:

Umyj i osusz mięso.

Wykonanie:

- Zamarynuj mięso: w miseczce lub moździerzu wymieszaj dokładnie wyciśnięty przez praskę czosnek, paprykę, zioła i olej. Natrzyj mięso marynatą i odstaw je na kilka godzin (najlepiej na całą noc) do lodówki.
- Przygotuj zalewę: warzywa pokrój na mniejsze kawałki, przełóż do dużego garnka i zalej wodą. Doprowadź do wrzenia i włóż do garnka mięso wraz z marynatą. Gotuj je na małym ogniu pod przykryciem ok. 1 godziny.
- Odstaw garnek z szynką w zalewie do ostudzenia, a następnie wyjmij ją i osusz. Przechowuj w lodówce.

Opcja dla dorosłych:

Do marynaty możesz użyć ostrej papryki, pieprzu i soli oraz zwiększyć ilość czosnku.

Składniki:

1 kg surowej szynki wieprzowej

Zalewa:
1 ½ cebuli
4 marchewki
2 pietruszki
3 gałązki natki pietruszki
3 ziarna ziela angielskiego
1 listek laurowy
1 l wody

Marynata:
1 łyżka słodkiej papryki
4 ząbki czosnku
1 łyżka oliwy
po 1 łyżeczce suszonych ziół: rozmarynu, tymianku, majeranku

Rada:

Zasada jest taka, że mięso gotujemy godzinę na każdy kilogram.

ZDROWA SAŁATKA OWOCOWA

Zanim zaczniesz:

Obierz owoce ze skórki.

Wykonanie:

- Winogrona umyj. Banany pokrój w plasterki, pomarańcze, mandarynki i grejpfruty rozdziel na cząstki. Z grejpfruta zdejmij białą skórkę i rozdrobnij go. Owoce umieść w dużej misce i wymieszaj.
- Obrane kiwi pokrój na kawałki i zblenduj na mus. Dodaj do niego miód i mieszaj, by składniki się połączyły.
- Zalej sałatkę sosem z kiwi i delikatnie wymieszaj.
- Sałatkę podawaj posypaną posiekanymi listkami mięty.

Składniki:

2 banany
2 pomarańcze
4 mandarynki
1 duża kiść winogron
½ grejpfruta
2 kiwi
1 łyżka miodu
1 gałązka świeżej mięty

SAŁATKA BROKUŁOWA

Zanim zaczniesz:

Ugotuj jajka na twardo.

Wykonanie:

- Brokuł podziel na różyczki i ugotuj w wodzie do miękkości. Pomidory pokrój w dużą kostkę.
- Jajka obierz ze skorupek i pokrój na ćwiartki.
- Czosnek przeciśnij przez praskę, wymieszaj z jogurtem, posiekanym koperkiem i szczyptą pieprzu.
- Przełóż składniki do dużej miski i polej sosem jogurtowym. Wymieszaj delikatnie. Wstaw do lodówki na ok. 30 minut. Podawaj jako dodatek do dań na ciepło.

Składniki:

1 duży brokuł
4 jajka
3 duże dojrzałe pomidory bez skóry
1½ szklanki jogurtu naturalnego (s. 199)
1 pęczek koperku
2 ząbki czosnku
pieprz

ŚWIĄTECZNY BARSZCZ CZERWONY

Zanim zaczniesz:

Obierz warzywa. Przygotuj duży garnek. Umyj rybę.

Wykonanie:

- Buraki, marchewkę, seler, pietruszkę zetrzyj na grubych oczkach lub pokrój w kostkę. Por pokrój w talarki. Ząbki czosnku w łupinach przekrój na pół.
- Przełóż warzywa do garnka, dodaj przyprawy i zalej wodą. Doprowadź do wrzenia, zmniejsz ogień, przykryj i gotuj przez 50 minut.
- Wyjmij warzywa cedzakiem. Dodaj do barszczu sok z cytryny i majeranek (rozetrzyj go między dłońmi). Zamieszaj i gotuj jeszcze 5 minut.
- Barszcz przecedź przez gęste sitko, by był klarowny.

Opcja dla dorosłych:

Barszcz możesz doprawić solą i pieprzem. Aby nadać mu ostrości, po wyjęciu warzyw dodaj 3 ząbki czosnku. Możesz wzbogacić smak barszczu 5 suszonymi grzybami, gotując je wraz z warzywami.

Składniki:

4 l wody
głowa karpia (lub inna część)
2 ½ kg buraków
2 marchewki
1 por (biała część)
2 małe pietruszki
½ selera
6 ząbków czosnku w łupinkach
3 liście laurowe
5 ziaren ziela angielskiego
2 łyżki majeranku suszonego
2 łyżki soku z cytryny
opcjonalnie:
½ litra zakwasu buraczanego

Zakwas (opcjonalnie):

Potrzebny będzie trzylitrowy słoik oraz ¾ słoika startych buraków, 1 mała główka czosnku, 1 łyżka soli, 1 łyżeczka cukru, 5 ziaren ziela angielskiego, kromka żytniego chleba.
Do buraków dodaj pokrojony czosnek, przyprawy i zalej wodą. Przykryj kromką chleba. Słoik przykryj gazą i odstaw w temperaturze pokojowej. Po 3 dniach wyjmij chleb i odstaw słoik na 5 dni. Odcedź i przechowuj w lodówce.

WIELKANOCNA BABKA PIASKOWA

Zanim zaczniesz:

Roztop masło i wystudź. Przygotuj mikser i formę do pieczenia babki. Jeśli nie jest teflonowa lub silikonowa – wysmaruj ją masłem. Suszone owoce zalej gorącą wodą i odstaw na 5 minut.

Wykonanie:

- Jajka zmiksuj z syropem daktylowym na gładką, jednolitą masę.
- Mąkę wymieszaj z proszkiem do pieczenia i dodaj do masy jajecznej.
- Ciągle miksując, dodaj wystudzone masło, odsączone z wody suszone owoce i miksuj jeszcze przez około minutę.
- Przełóż ciasto do formy i piecz w piekarniku z termoobiegiem w 180 °C przez 50 minut.

Składniki:

4 jajka
1 ½ szklanki mąki pszennej
½ szklanki mąki ziemniaczanej
1 ½ łyżeczki proszku do pieczenia
200 g masła plus do wysmarowania blachy
4 łyżki syropu daktylowego (s. 202)
2 łyżki dowolnych posiekanych owoców suszonych

Rada:

Z tego samego przepisu możesz zrobić minibabeczki do koszyczka ze święconką. Skróć wówczas czas pieczenia do 15-20 minut.

Rozdział 7

Przepisy podstawowe

Bywa, że potrafimy przygotować skomplikowane dania, a te podstawowe sprawiają nam trudność. A to tylko kwestia wprawy. W tym rozdziale prezentujemy przepisy na bazy do naszych potraw, ale też interesujące rozwiązania w kuchni. Wspólnie zrobimy domowy jogurt, mleko roślinne, ugotujemy jaglankę na różne sposoby oraz pokażemy, jak wykorzystywać produkty, które pozostały np. po zrobieniu bulionu lub mleka owsianego.

DOMOWY JOGURT NATURALNY

Zanim zaczniesz:

Przygotuj pojemnik na jogurt. Idealny będzie kamionkowy, ale najważniejsze jest, by był nieprzezroczysty.

Wykonanie:

- Zagotuj mleko. Wystudź je do temperatury ok. 45 °C. Jeśli nie masz termometru, sprawdź temperaturę palcem – mleko powinno być mocno ciepłe, ale nie parzące.
- Wlej łyżkę ciepłego mleka do jogurtu w szklance i wymieszaj.
- Dodaj zawartość szklanki do mleka i zamieszaj.
- Odstaw całość w ciepłe miejsce na co najmniej 8 godzin, przykrywając pokrywką lub talerzykiem.
- Jeśli po tym czasie jogurt jest jeszcze rzadki – wydłuż czas oczekiwania.
- Gotowy jogurt przechowuj w lodówce.

Składniki:

1 litr mleka pasteryzowanego (nie UHT)
½ szklanki jogurtu naturalnego

Rada:

Jeśli nie masz ciemnego pojemnika, owiń słoik w gazetę. Pamiętaj, że bardzo istotne jest, by bakterie jogurtowe namnażały się w cieple. Kolejną porcję jogurtu możesz przygotować na bazie tego domowego – odlej pół szklanki. Na bazie jogurtu można szybko wykonać pyszne sosy, które podkreślą smak wielu potraw.

SOSY JOGURTOWE

Wykonanie:

Połącz jogurt z wybranym składnikiem i wymieszaj.

Opcja dla dorosłych:

Sosy możesz doprawić solą i pieprzem.

Składniki:

1 szklanka jogurtu naturalnego

do wyboru:
2 ząbki wyciśniętego przez praskę czosnku
1 łyżka posiekanego koperku
po 1 łyżeczce posiekanych, świeżych ziół: oregano, bazylii, estragonu
½ startego na grubych oczkach ogórka plus ząbek czosnku

MLEKO OWSIANE

Zanim zaczniesz:

Płatki owsiane przesyp do wysokiego naczynia i zalej 3 szklankami wody. Odstaw w chłodne miejsce na kilka godzin (najlepiej na całą noc). Przygotuj blender i gęste sitko lub gazę.

Wykonanie:

- Odcedź płatki i zalej je 4 szklankami świeżej wody, a następnie zmiksuj blenderem.
- Przecedź mieszankę przez sito lub gazę. Powstały napój przechowuj w lodówce maksymalnie dwa dni. Przed podaniem wymieszaj.
- Masę owsianą, która pozostała z odcedzonych płatków, wykorzystaj np. do zrobienia kruchych ciasteczek (przepis na następnej stronie).

Składniki:

1 ½ szklanki suchych płatków owsianych górskich
7 szklanek letniej wody (przegotowanej lub źródlanej)

Rada:

Jeśli chcesz, aby mleko miało słodki smak, możesz zmiksować je z suszonymi owocami, np. daktylami.
Mleko owsiane możesz wykorzystać m.in. do naleśników, wypieków, koktajli, gotowania kasz i płatków zbożowych.

MLEKO SŁONECZNIKOWE

Zanim zaczniesz:

Słonecznik namocz w zimnej wodzie (1½ szklanki) przez ok. 2 godziny (najlepiej przez noc). Przygotuj blender i gazę lub gęste sitko.

Wykonanie:

- Odcedź namoczony słonecznik, zalej 4 szklankami świeżej wody i zblenduj dokładnie.
- Przecedź całość przez gęste sitko lub gazę.

Składniki:

1 szklanka wyłuskanych ziaren słonecznika
5½ szklanki wody (przegotowanej lub źródlanej)

Rada:

Masę słonecznikową pozostałą po produkcji mleka możesz użyć do przygotowania pasty kanapkowej jajeczno-słonecznikowej (s. 202).

KRUCHE CIASTECZKA OWSIANE

Zanim zaczniesz:

Blachę wyłóż papierem do pieczenia. Przygotuj dużą miskę i mikser. Pestki dyni upraż na suchej patelni przez 2-3 minuty. Morele przekrój na pół, zalej ciepłą wodą, odstaw na 15 minut, a następnie odsącz z wody i posiekaj na drobne kawałki.

Wykonanie:

- Do miski włóż masło i posiekane morele. Wymieszaj mikserem na najmniejszych obrotach. Dodaj rozbełtane jajko i dalej mieszaj przez chwilę, aż składniki się połączą.
- Masę owsianą lekko odciśnij z nadmiaru mleka i przełóż do miski. Ponownie wymieszaj mikserem.
- Połącz mąkę i proszek do pieczenia, przesiej przez sito, a następnie wsyp do miski i wymieszaj mikserem z pozostałymi składnikami.
- Uprażone pestki dyni wsyp do ciasta i całość wymieszaj łyżką.
- Małą łyżeczką nabieraj czubate porcje ciasta i palcem zsuwaj je na blachę. Układaj kolejne porcje w małych odstępach, a następnie delikatnie spłaszczaj każdą z nich zewnętrzną częścią dużej łyżki stołowej (zwilż łyżkę wodą).
- Ciasteczka grubości ok. 1,5 cm piecz w 180 °C z termoobiegiem przez ok. 20 minut na środkowym poziomie piekarnika.

Składniki:

1 szklanka masy owsianej (s. 200)
10 dużych suszonych moreli
1 jajko
2 łyżki miękkiego masła
¾ szklanki mąki orkiszowej lub pszennej
½ łyżeczki proszku do pieczenia
½ szklanki pestek dyni

Rada:

Ciasto powinno być bardzo gęste, trzymające się łyżki. Jeśli jest rzadsze, dosyp jeszcze trochę mąki.
Przechowuj ciastka w szczelnie zamkniętym pojemniku – zachowają świeżość na dłużej.

PASTA JAJECZNO-SŁONECZNIKOWA

Zanim zaczniesz:

Ugotuj jajka na twardo, obierz ze skorupki i wystudź. Przygotuj wysoką miskę.

Wykonanie:

- Do wysokiej miski przełóż jajka, dodaj oliwę i odciśniętą masę słonecznikową – zblenduj na gładko.
- Dodaj szczypiorek i natkę pietruszki i wymieszaj.
- Pastę podawaj na ulubionym pieczywie.

Opcja dla dorosłych:

Pastę możesz doprawić solą i pieprzem.

Składniki:

2 jajka
ok. ¾ szklanki masy słonecznikowej (s. 200)
1 łyżeczka oliwy
½ łyżki posiekanej natki pietruszki
1 łyżka posiekanego szczypiorku

Rada:

Jeśli pasta wyda się zbyt sucha, możesz dodać odrobinę oliwy.

SYROP DAKTYLOWY

Zastosowanie:

Syrop daktylowy to tylko jeden z licznych sposobów na zastępowanie cukru w codziennej diecie. Jest szybki w wykonaniu, doskonale dosładza i ma wspaniały smak.

Zanim zaczniesz:

Przygotuj blender.

Wykonanie:

- Daktyle drobno posiekaj, zalej gorącą wodą i odstaw na ok. 30 minut.
- Zblenduj daktyle wraz z wodą.

Składniki:

10 suszonych daktyli
¾ szklanki gorącej wody

Rada:

Z tych proporcji uzyskasz konsystencję do nakładania łyżką. Jeśli potrzebujesz rzadszej – dodaj więcej wody.
Syrop można przechowywać w lodówce do 2 dni.
Do przygotowania syropu możesz użyć innych suszonych owoców, np. śliwek, fig, moreli.

PUREE Z DYNI

Zastosowanie:

Puree z dyni możesz wykorzystać do przygotowania m.in. chrupiących dyniowych bułeczek (s. 68) lub dyniowo-amarantusowych muffinek (s. 166).

GOTOWANE (Wygodne przy małych ilościach dyni):

- Dynię dokładnie umyj i osusz. Pokrój na 4 lub więcej części (w zależności od wielkości dyni).
- Z każdego kawałka odkrój twardą skórę, usuń pestki i miękki miąższ, pokrój dynię w dużą kostkę.
- Przełóż kostki do dużego garnka, podlej małą ilością wody i gotuj pod przykryciem przez 5-7 minut. Zdejmij pokrywkę (by woda wyparowała) i gotuj na średnim ogniu do momentu, aż dynia będzie miękka i zacznie się rozpadać.
- Zdejmij garnek z palnika, odsącz dynię na sitku z nadmiaru wody i zmiksuj blenderem na puree.

Puree możesz przygotować również z mrożonej dyni obranej ze skóry.

PIECZONE (Wygodne przy dużych ilościach dyni):

- Dynię dokładnie umyj i osusz. Przekrój na cztery lub więcej części (w zależności od wielkości dyni).
- Usuń pestki i miękki miąższ. Zamocz przygotowane kawałki dyni na 5 minut w zimnej wodzie.
- Namoczone kawałki dyni ułóż skórą do dołu na blasze wyłożonej papierem do pieczenia i wsuń do piekarnika na środkowy poziom. Piecz ok. 45-60 minut w temperaturze 200 °C z termoobiegiem (sprawdzaj widelcem, czy dynia jest już wystarczająco miękka).
- Z upieczonej dyni łyżką wyjmij cały miąższ, odsącz z nadmiaru wody i zmiksuj blenderem na puree.

Składniki:

dowolna jadalna odmiana dyni (cała lub kawałek)

Rada:

Puree z dyni możesz przygotować w garnku lub piekarniku. Przedstawiamy oba sposoby.

BULION WARZYWNY

Zastosowanie:

Bardzo często przepis wymaga użycia niewielkiej ilości bulionu, a ponieważ gotowanie tak małej ilości jest problematyczne, więc zastępujemy go wodą, co nie jest korzystne dla smaku potrawy. Można więc przygotować większą ilość i zamrozić w woreczkach do lodu.

Zanim zaczniesz:

Przygotuj duży garnek.

Wykonanie:

- Warzywa obierz i przekrój na drobniejsze części (natkę pietruszki i lubczyk zostaw w całości).
- Cebulę opal nad ogniem, aż skórka się przypali, co nada charakterystyczny posmak bulionowi. Jeżeli nie masz kuchenki gazowej, opiecz przekrojoną cebulę na suchej patelni.
- Włóż wszystkie warzywa do zimnej wody, dodaj ziele angielskie, pieprz, czosnek i listek laurowy.
- Doprowadź do wrzenia, a następnie gotuj pod przykryciem na najmniejszym ogniu przez 1½ godziny.
- Warzywa odcedź na sitku. Bulion ostudź, przelej do woreczków na kostki lodu i zamróź.

Opcja dla dorosłych:

Bulion możesz przyprawić solą i pieprzem.

Składniki:

1 litr wody
2-3 marchewki
1 pietruszka
¼ małego selera
1 mała cebula
½ pora (biała część)
½ pęczka natki pietruszki
1 gałązka lubczyku
½ łodygi selera naciowego
1 listek laurowy
2 ziarna ziela angielskiego
1 ząbek czosnku w łupince
3 ziarnka pieprzu

Rada:

Z pozostałych warzyw możesz przyrządzić sos do makaronu lub wykorzystać do pasztetu warzywnego (s. 46) albo muffinek warzywnych (s. 84).

KASZA JAGLANA NA GĘSTO

Zastosowanie:

Nadaje się do jedzenia rączkami, formowania zwartych kulek, z dodatkami jako porcja śniadaniowa.

Składniki:

½ szklanki kaszy jaglanej
1 szklanka wody

Wykonanie:

- Wlej wodę do małego garnka i doprowadź do wrzenia.
- Kaszę przesyp na sito i dwukrotnie przepłucz bardzo gorącą wodą, a następnie wsyp do wrzątku.
- Gotuj kaszę pod przykryciem, na najmniejszym ogniu (nie mieszaj i nie podnoś pokrywki) przez ok. 18 minut. Wyłącz palnik i przełóż kaszę do miseczki.

KASZA JAGLANA NA SYPKO

Zastosowanie:

Nadaje się do jedzenia łyżką, jako posypka do gęstych zup, jogurtów, koktajli, sałatek.

Składniki:

⅓ szklanki kaszy jaglanej
¾ szklanki wody
1 łyżeczka masła, oliwy lub oleju, np. lnianego

Wykonanie:

- Wlej wodę do małego garnka i doprowadź do wrzenia.
- Kaszę przesyp na sito i dwukrotnie przepłucz bardzo gorącą wodą, a następnie wsyp do wrzątku.
- Gotuj kaszę pod przykryciem, na najmniejszym ogniu (nie mieszaj i nie podnoś pokrywki) przez 7 minut. Wyłącz palnik i pozostaw kaszę w garnku pod przykryciem na kolejne 15 minut.
- Dodaj do kaszy łyżeczkę tłuszczu, delikatnie wymieszaj i pozostaw pod przykryciem na kolejne 5 minut. Gotową kaszę przełóż do miseczki.

BARDZO GĘSTA, KLEJĄCA KASZA JAGLANA

Zastosowanie:

Nadaje się do jedzenia łyżką, jako baza do wypieków, naleśników, placków, do krojenia w kostki na zimno.

Wykonanie:

- Kaszę przesyp na suchą patelnię i praż, potrząsając patelnią, aż poczujesz orzechowy zapach. Zdejmij patelnię z ognia, przesyp kaszę na sito i wypłucz dokładnie gorącą wodą.
- W garnku zagotuj wodę. Do wrzątku wsyp kaszę i gotuj pod przykryciem na najmniejszym ogniu przez 18 minut do wchłonięcia wody (nie podnoś pokrywki i nie mieszaj kaszy podczas gotowania). Gotową kaszę przełóż do miseczki.

Składniki:

½ szklanki kaszy jaglanej
2 szklanki wody

Rada:

Niezależnie od tego, jak ugotujesz kaszę, możesz ją podawać z ulubionymi dodatkami na słodko lub wytrawnie, np. ze świeżymi lub mrożonymi owocami, z bakaliami, z przyprawami, ziołami i innymi dodatkami (np. wanilią, cynamonem), z warzywami.

INDEKS